LE TUEUR EN PANTOUFLES

Du même auteur
aux Editions de la Loupe

La grande friture, 2010.

Frédéric Dard

LE TUEUR EN PANTOUFLES

roman

La Loupe

Éditions de la Loupe
Livres en gros caractères

Catalogue sur demande
Éditions de La Loupe - Service clients
Métairie de la Lande - BP 25231
44352 - Guérande cedex
(Siège social : 10, rue du Colisée - 75008 - Paris - Tél. 01 56 88 29 88)

Téléphone et fax*
Tél. 04 78 47 27 02
Fax 04 78 47 24 03
*(Nos lignes tél./fax restent inchangées après notre transfert de Lyon)

Boutique en ligne
www.editionsdelaloupe.com

A Raymond ROULEAU,
avec mon admiration et mon amitié.

F. D.

CHAPITRE PREMIER

Il se produisit un bruit inaccoutumé.

Bonne-maman sortit de sa chambre et s'approcha de la balustrade surplombant la vaste pièce qui servait de laboratoire à Jango.

Jango se tenait debout devant le corps d'un vieillard à moustaches blanches. Le visage du mort et celui de Jango reflétaient la même surprise.

– Tu as des ennuis ? demanda bonne-maman à son fils.

– Je n'y comprends rien, dit Jango, il n'est pas mort tout de suite.

– Ça vient peut-être de la dose…

– Je ne pense pas.

Il continuait d'examiner le cadavre, lorsque Zizi entra par la porte du jardin. Le gamin tenait un lapin par les oreilles.

– Ne prends jamais un lapin par les oreilles, conseilla Jango, tu lui fais mal.

– Mais puisqu'elles sont longues, objecta Zizi.

Jango eut un haussement d'épaules agacé :

– Ça ne veut rien dire. Même chez les lapins, les oreilles ne servent qu'à entendre.

Zizi posa le lapin sur le plancher. L'animal s'accroupit, les flancs agités par la frayeur, les oreilles baissées.

– Cette idée de sortir ce lapin de sa cage à tout propos, grommela bonne-maman.

Zizi, qui n'avait pas encore aperçu sa grand-mère, leva les yeux vers la galerie. Il tendit un sourire malicieux à la vieille femme dont le visage s'éclaira.

L'incident du lapin avait distrait Jango de ses préoccupations.

– Veux-tu que je te dise, m'man ? Pour moi, les réactions des types sont différentes.

Bonne-maman hocha la tête en signe de doute :

– Pourtant… un vieillard a moins de résistance, dit-elle.

Elle mettait dans cette remarque un peu de coquetterie à cause de son âge, mais Jango était trop soucieux pour y prêter attention.

– Un vieillard est plus faible, je ne dis pas, concéda-t-il, seulement celui-ci est un ancien colonel… Un colonel, m'man, c'est un type qui se donne de l'exercice toute sa vie, ne l'oublions pas. Et bien nourri… faut voir !

10

Bonne-maman descendit l'escalier et s'approcha du cadavre. Elle se sentait envahie par une sorte de respect confortable.

– Un colonel…, murmura-t-elle.

– En retraite, précisa Jango.

Zizi s'approcha à son tour du cadavre et questionna :

– Qu'est-ce que c'est, un colonel ?

– Un officier supérieur, dit Jango. Un type qui commande un régiment…

Les renseignements qu'il donnait faisaient naître en lui un orgueil dont il ne pouvait préciser la cause.

– Pourquoi qu'il n'est pas en uniforme ? demanda Zizi.

Sans attendre la réponse, le gamin s'agenouilla devant le corps du vieillard et entreprit de lui ôter sa rosette de la Légion d'honneur.

– Ne touche pas à ça ! intima bonne-maman. Il y a des choses qu'on ne plaisante pas avec… Tu comprendras plus tard.

Elle quêta du regard une approbation de son fils. Jango ne jugea pas opportun de renchérir et la vieille femme en conçut quelque humeur.

– C'était un homme très bien, fit-elle au bout d'un silence ; regardez-moi ces traits fins, ces cheveux blancs et cette moustache soignée… Il me rappelle un président de la République que j'avais en photo sur un *Almanach Vermot*... Je ne sais plus lequel ; tu as une idée de qui je veux dire, Jango ?

– Non, grogna Jango. Ce qui me tracasse, vois-tu, m'man, c'est pourquoi il n'est pas mort comme les autres. Pourtant, y a pas, je m'y suis pris comme d'habitude... Mine de rien, je suis passé derrière lui et je lui ai enfoncé ma seringue dans le cou. Ordinairement, ils tombent le nez en avant, sur la table. Eh bien, lui, m'man, il s'est levé tout droit et il m'a fixé d'une drôle de façon. Tiens, regarde ses yeux, on voit encore...

Bonne-maman contempla les prunelles éteintes. L'expression stupéfaite du mort s'évaporait. Il commençait à ressembler à un mort de bon aloi. Ses narines se pinçaient et son teint, déjà plombé par un cancer au foie, s'enrichissait de coloris intéressants. Bonne-maman ne décela rien de suspect sur la physionomie du défunt, non plus que dans son attitude.

– Il ne faut pas te tracasser, dit-elle de sa voix la plus rassurante. Un colonel, Jango, ça n'a pas l'habitude de mourir comme n'importe qui.

Ce raisonnement, s'il ne convainquit pas Jango, eut du moins l'avantage d'apaiser son anxiété.

– Il s'est levé tout droit, insista-t-il. Et il m'a regardé comme s'il n'arrivait pas à comprendre

12

ce qui se passait. Moi non plus, je n'y comprenais rien…

Au ton de Jango, bonne-maman comprit qu'il venait d'accepter l'événement. Elle en fut rassurée.

Pendant cette conversation, Zizi, sous prétexte de jouer avec son lapin, avait réussi à ramper jusqu'au colonel et à lui ravir sa rosette. Il la regardait dans sa main, surpris qu'elle n'eût pas plus de consistance. Jango découvrit le vol et se fâcha :

– Ce gosse a de mauvais instincts, déclara-t-il sombrement.

Bonne-maman hésita à prendre la défense du gamin, mais elle s'aperçut que l'absence de la décoration laissait voir un rond de moisissure au revers du veston de drap noir. Cette pastille verdâtre lui parut une mutilation qui accroissait l'importance du délit commis par son petit-fils.

– Zizi, dit-elle, je t'ai déjà expliqué qu'on ne doit pas plaisanter avec ces choses-là.

Zizi, qui était fort embarrassé par le minuscule nœud de ruban auquel il ne parvenait pas à trouver une utilisation valable, fut tout aise de s'en séparer. Il le déposa sur la table où chacun l'oublia.

– Et maintenant, ordonna Jango, tu vas aller me chercher le diable.

Zizi sortit en courant.

– C'est un bon petit, remarqua bonne-maman.

Jango fronça les sourcils. Il voyait dans ces louanges un reproche très défini au sujet de sa sévérité précédente.

– Je ne te dis pas le contraire. Seulement, question d'éducation, je serai toujours intraitable. Il est à un âge, poursuivit Jango qui tenait à étaler ses convictions pédagogiques, où l'autorité paternelle a le plus d'importance. Regarde-moi, m'man ; tu crois que si notre pauvre papa ne m'avait pas secoué les plumes quand il le fallait, je serais aujourd'hui un homme sérieux et bien équilibré ?

– Évidemment, consentit bonne-maman, tout émue, en jouant du bout de son soulier avec la main du cadavre.

Elle enveloppa Jango d'un regard moite.

– C'est vrai, tu es un homme bien. Tiens, la boulangère me le disait l'autre jour… Tu m'attendais devant son magasin et, tout en coupant mes baguettes par le milieu, elle te regardait à travers la vitre. A un moment, elle m'a fait comme ça : « Vous avez de la chance d'avoir un fils pareil… Un garçon qui vous dorlote… Et pour l'intelligence, il faut voir… Hier, il discutait avec mon mari, je ne me rappelle plus quoi, mais ce qu'il disait était tellement bien que les autres clients faisaient semblant de ne pas trouver tout de suite leur porte-monnaie pour pouvoir écouter. »

Jango rougit. Depuis quelque temps, la boulangère une brune appétissante le convoitait. Ce qui empourprait le front de Jango, ce n'était pas tant la fringale d'amour de la commerçante que la candeur de bonne-maman.

Le retour de Zizi poussant le diable fut un heureux dérivatif. Jango amena le chariot à deux roues tout contre le corps du colonel. Il lui releva les jambes et engagea l'avant du diable sous le postérieur de l'officier. Après quoi, il saisit le cadavre par la cravate et le tira à lui afin de le charger sur le véhicule. Le corps du colonel était d'un maniement facile.

– Ouvre la porte ! ordonna Jango à son fils.

L'étrange convoi s'achemina, à travers le jardinet clos de murs, vers un appentis habillé de lierre. Bonne-maman, qui marchait devant, soutint le diable pour faciliter son entrée dans la cabane, car il y avait une marche à gravir. Le corps fut déposé au pied d'une cuve formée par un important tronçon de chaudière. Jango prit le colonel aux épaules, bonne-maman le prit par les pieds et, avec beaucoup de peine, ils le hissèrent au bord de la cuve. Le corps, ployé en deux, demeura en équilibre sur la paroi du récipient : la tête et les bras à l'intérieur, les jambes pendant à l'extérieur, tandis que les maigres fesses du vieillard pointaient comme une bosse de chameau.

– Reculez-vous ! ordonna Jango.

Lui-même esquissa un saut en arrière lorsqu'il fit basculer le cadavre dans la cuve. A plusieurs reprises, il avait reçu des éclaboussures d'acide et il se méfiait.

– Bon, eh bien maintenant, à table ! cria joyeusement bonne-maman. Va te laver les mains, Zizi.

– Mais j'ai pas tripoté le monsieur ! protesta le gamin qui n'avait aucun penchant pour les ablutions, même les plus modestes.

– Avec ça, insista bonne-maman. Et puis tu as touché ton lapin…

– Mon lapin n'est pas sale, plaida Zizi d'un ton prudent.

Il réfléchit :

– Le colonel non plus, ajouta-t-il.

– Ne raisonne pas, trancha Jango. Et au fait, où est-il, ton lapin ?

– Tiens, c'est vrai ! s'exclama Zizi, enthousiasmé à l'idée d'entreprendre une battue qu'il souhaitait longue et d'un résultat incertain.

Toute la famille se mit à la recherche du

lapin. Bonne-maman promena un tisonnier sous les meubles, tandis que Jango et son fils fouillaient le jardin dont la porte était demeurée ouverte. Malgré la minutie des recherches, l'animal demeura introuvable. Zizi crut bien apercevoir quelque chose de blanc sous le rosier nain, mais il décida qu'il s'agissait d'un papier et passa outre. L'aventure du lapin disparu le ravissait. Il n'aurait pas aimé qu'elle fût soudainement interrompue par la découverte de l'animal.

Au bout d'un temps raisonnable, bonne-maman insista pour qu'on se mît à table. Une rouelle de porc, cuite à point, justifiait ses instances.

Tout en mastiquant, chacun se livra à une large supputation relativement à la cachette du lapin.

– Crois-tu qu'il ait pu grimper l'escalier? demanda bonne-maman.

Non, Jango ne le croyait pas. Il était pensif et ne s'intéressait que médiocrement à la fugue de l'animal. Il ne sourit même pas en entendant Zizi imaginer tout haut que le rongeur avait creusé rapidement un terrier, avait traversé le village et était allé se dissimuler dans les hautes herbes bordant la Seine.

– Tu vas à Paris cet après-midi? questionna bonne-maman.

– Oui, fit Jango d'un air sombre. Il faut bien que j'aille toucher ma prime sur le colonel…

– Tu m'emmènes? demanda innocemment Zizi.

Jango réfléchit. Il se dit qu'il rendrait certainement une petite visite à Barbara. Pendant qu'il serait chez elle, Zizi l'embarrasserait. Une fois, il l'avait laissé chez la concierge, moyennant cent francs, et le gosse avait trouvé le moyen de couper les moustaches du chat angora de la bonne femme. Il s'était ensuivi un véritable drame, à la suite duquel Barbara avait interdit à Jango de ramener Zizi dans le quartier.

– On irait au zoo, suggéra l'enfant. Tu te souviens, la dernière fois, on n'a pas vu l'hippopotame.

Ces exigences donnèrent à Jango le courage nécessaire pour repousser en bloc les projets de son fils.

– Tu resteras ici, décréta-t-il. Je n'ai pas le temps de te promener, j'ai des courses très importantes à faire.

Il parlait avec un air tellement déterminé que bonne-maman, bien qu'elle brûlât de le faire, n'osa intervenir.

– Ton complet est repassé, se contenta-t-elle de dire.

Jango prit le train de treize heures vingt. C'était un très bon train, direct après Sartrouville, où l'on trouvait toujours une place assise. D'autre part, à cette heure-là, les voyageurs se recrutaient uniquement dans la classe aisée ; on ne risquait donc pas d'avoir pour vis-à-vis un gars sans retenue qui frotte complaisamment ses godillots boueux sur votre pantalon. C'était le train des comptables, des artistes et des femmes adultères. On y entendait des conversations choisies, les messieurs y lisaient *Le Figaro*, les dames y brodaient de délicats napperons (certaines feignaient de se passionner pour d'énormes traductions américaines). Une bonne ambiance, en somme, dont pouvait s'honorer la S.N.C.F.

Jango s'assit aux côtés d'une dame blonde, au maquillage nuancé, et entreprit de lui faire du pied, histoire de tromper la monotonie du trajet. La dame ne retira pas son pied et se mit séance tenante à se raconter. A Maisons-Laffitte, Jango savait qu'elle se prénommait Madeleine, que son mari souffrait d'artériosclérose, que sa fille aînée préparait une licence d'anglais, qu'elle n'aimait pas Jouvet à l'écran

19

et que, si une nouvelle guerre survenait, elle irait vivre en Haute-Savoie.

Fatigué par ce bavardage, il descendit à Sartrouville et changea de compartiment. Il était maussade parce que durement préoccupé. Au moment de partir, il avait traversé son laboratoire dans l'espoir d'y trouver le lapin et son regard s'était posé sur la rosette de la Légion d'honneur du colonel. Il avait raflé la décoration au passage et l'avait glissée dans sa poche, sans idée préconçue, uniquement pour la soustraire aux doigts sacrilèges de Zizi. Chose étrange, ce morceau de ruban rouge l'incommodait.

Pourtant, il n'osait s'en débarrasser en la jetant. Un vague sentiment de culpabilité rôdait quelque part en lui…

Il se rendit aux W.-C. et examina la décoration. Il la tenait comme un joyau ou une pilule empoisonnée. Elle était solennelle et hostile. Jango la porta à sa boutonnière. Il fut parcouru par un bref frisson. La pastille écarlate modifiait complètement son aspect. Il aperçut, dans la glace du lavabo, un personnage nouveau, un peu suspect, qui le troubla beaucoup. Sous le chapeau noir à bord roulé, le visage était sévère et pâle : le regard gris avait une pesanteur qui ne pouvait se justifier tout à fait par la paupière à demi baissée. Jango ne parvint pas à comprendre pourquoi sa figure, habituellement ronde, s'ovalisait. Il ôta la rosette et, comme s'il se fût éloigné d'un miroir déformant, il réintégra ses formes et ses couleurs initiales.

– Formidable ! s'exclama-t-il.

Il étudia le rond de ruban. Celui-ci émettait dans le creux de sa main comme une sourde clarté.

Pensivement, Jango glissa l'insigne dans sa poche.

Quand il quitta les toilettes, le train parvenait à Saint-Lazare. Les voyageurs dont la place avoisinait les W.-C., le regardèrent avec quelque mépris non dépourvu d'intérêt, car ils supposaient que le séjour prolongé de Jango aux lieux d'aisances indiquait l'assouvissement de passions solitaires.

Jango sortit par la cour de Rome où il prit un autobus qui le déposa rue Montmartre. Il avait rendez-vous avec le neveu du colonel, au bar d'Uzès, à quatre heures. Comme il était en avance, il dépassa le bar et descendit la rue jusqu'aux journaux.

L'un d'eux parlait encore de son dernier travail. Il s'agissait de la « disparition » d'un charcutier de Saint-Mandé, remontant à la semaine précédente. La presse ne s'occupait que médiocrement de cette affaire. Trop de possibilités banales se proposaient à la sagacité des enquêteurs... Le bonhomme avait fait de la collaboration pendant l'occupation (avec ses porcs et les Allemands) ; par ailleurs, il s'était avéré qu'il était pédéraste et qu'il affectionnait la pêche au lancer. Il avait donc pu être victime d'un justicier, d'un sadique ou d'un faux pas.

Le journaliste concluait en laissant entendre que la police penchait pour le crime passionnel. Jango sourit. Lui seul savait que la belle-mère du charcutier avait financé la mort de son gendre. D'ordinaire, Jango ne travaillait pas pour les femmes : trop sujettes aux remords, elles changent souvent d'idées. Jango en avait connues qui, «avant», lui recommandaient de pratiquer les pires supplices et qui, «après», venaient le traiter d'assassin.

Il avait accepté néanmoins la belle-mère du charcutier comme cliente, car elle lui avait été chaudement recommandée par un conseiller municipal qu'il avait rendu veuf.

Il faisait tendre. Le ciel indiquait des beaux jours derrière des palmes de nuages vidés de toute substance. Un instant, Jango se laissa bercer par le mouvement de Paris. La pensée de la rosette qu'il promenait dans sa poche habitait son cerveau comme un ver habite une pomme. Elle s'y installait pour y vivre son destin. Jango comprit qu'elle serait une locataire pénible, mais intéressante.

D'un pas étudié, il s'achemina vers le bar d'Uzès. Le neveu du colonel l'attendait déjà, bien que Jango fût en avance d'au moins trente minutes. Jango vit que l'héritier de l'officier consommait des boissons fortes. Il réprima un léger sourire qui, s'il s'était éclos, se serait composé en grande partie de pitié.

L'individu appartenait à l'espèce jeune homme vénéneux. Il avait des yeux fuyants et un mauvais sourire sous une moustache de bellâtre. A l'entrée de Jango, il parut se racornir sur sa banquette. Jango s'assit en face de lui. Un instant, le jeune homme se comporta comme s'il voulait ignorer l'arrivant. Puis, il se ressaisit.

– Alors ? souffla-t-il.

– Eh bien ! Ça y est...

Un bref effroi contracta les muscles du neveu.

– Il n'a pas souffert ?

Jango réfléchit. Le vieillard s'était dressé et l'avait regardé d'un air surpris d'où était bannie, semble-t-il, toute souffrance.

– Je ne pense pas, dit-il loyalement.

– Vous prenez quelque chose ?

– Un demi de bière...

Le neveu passa la commande au garçon.

– Le… l'accident s'est produit à quelle heure? Je vous demande ça, ajouta-t-il, pour le cas où la police éplucherait mon alibi.

– Un alibi ne vous servirait à rien, remarqua calmement Jango. Comme on ne retrouvera jamais le corps, on ne pourra pas déterminer l'heure du décès…

– Sapristi, sursauta le jeune homme, si on ne retrouve pas le corps, il sera impossible de prouver le décès. Je crois qu'il faut des années avant qu'un disparu soit considéré comme mort. Je ne suis pas près de palper la succession… Bon Dieu! Vous avez fait du joli!

– Dites donc, murmura Jango, vous pensez bien que je ne peux pas me permettre de courir le risque de laisser un cadavre derrière moi… Cher monsieur, ça parle, un cadavre… Vous ne le savez peut-être pas? C'est toujours le cadavre qui donne le nom de l'assassin.

– Je m'en fous, grommela le neveu. Tout ce que je regarde, c'est que vous avez tout gâché… Mon oncle était de santé fragile; il aurait pu disparaître d'un moment à l'autre…

Jango but posément son demi mousseux.

– Tout le monde peut disparaître d'un moment à l'autre, déclara-t-il, vous… moi… Quant à la santé de votre parent, parlons-en!…

Solide comme un roc, il était. Je m'y connais. C'était exactement le genre d'homme à vivre très vieux... qui sait, même : à vous conduire au Père-Lachaise...

La conversation commençait à prendre une tournure pénible.

– En tout cas, résuma le neveu, je comptais fermement sur l'héritage.

– Tôt ou tard, il vous reviendra.

– J'aurais préféré tôt.

Il mettait tant d'aigreur dans ses paroles, et d'une façon si déterminée, que Jango se fâcha.

– Écoutez, éclata-t-il brusquement, je n'aime pas beaucoup vos manières. Ai-je fait décéder votre oncle, oui ou non ? Oui ? Alors, payez-moi !

Surpris par cet éclat dont il n'aurait pas jugé son interlocuteur capable, le neveu promena autour de lui un regard éperdu. Heureusement, leur plus proche voisin était américain. Il ruminait du chewing-gum en écrivant des cartes postales. Rassuré, le neveu se tourna vers Jango. Il paraissait à la fois furieux et effrayé.

– Je vous en prie, calmez-vous...

Il sortit une enveloppe de sa poche et la tendit à Jango. Celui-ci l'ouvrit et, sans sortir les billets de banque, les compta.

– Ça va, fit-il, un peu radouci, le compte y

est… Croyez-moi, insista Jango, votre oncle, c'était autant dire un roc. Les anciens officiers vivent plus longtemps que nécessaire.

Le terme d'officier lui rappela la rosette.

– Voilà sa décoration, annonça-t-il courageusement.

Il posa le ruban sur la table de marbre.

Le neveu eut l'air horrifié, comme si le défunt colonel lui-même était venu s'asseoir sur le guéridon.

– Enlevez ça, balbutia-t-il, enlevez ça…

Sans enthousiasme, Jango reprit la rosette et la remit dans sa poche.

– J'ai pensé que vous seriez heureux de conserver ce petit souvenir de votre oncle…

Le neveu le regarda sans comprendre.

– Quelle idée !

– Il y en a à qui ça aurait fait plaisir, fit Jango avec humeur.

Le jeune homme tira sur sa maigre moustache. Il semblait déconcerté.

– Vous êtes un drôle de type, murmura-t-il.

Jango se demanda si cette remarque était péjorative. Il décida que non.

– Je m'excuse, mais j'ai des courses à faire, dit-il en se levant.

Une dernière fois, il regarda le neveu avant de l'oublier.

– J'espère que tout ira selon vos désirs. Je suis certain que ça s'arrangera très bien, question d'héritage ; ce serait idiot que « ça » n'ait servi à rien.

Il ajouta en se penchant un peu :

– Ce vieux colonel ne se rendait même pas compte de son grand âge. Vous le fréquentiez beaucoup ?

– Qu'est-ce que ça peut vous foutre ? demanda le neveu avec lassitude.

CHAPITRE II

Barbara donnait à manger à ses poissons rouges lorsque Jango sonna. Elle vida son sachet de daphnies dans l'aquarium pour s'en débarrasser. L'Aga-Khan, heureux de l'aubaine, se précipita à la surface pour y gober les graines. Il mettait dans sa hâte tant de gloutonnerie que Barbara l'injuria avant de quitter la pièce.

Un monsieur à mine sévère se tenait dans l'encadrement de la porte, un paquet sous le bras. La jeune femme eut l'impression de connaître le paquet, mais non l'homme.

Elle attendit des mots de son visiteur. Il la regardait d'un air tendre et grave qui surprenait Barbara sans toutefois l'inquiéter.

– Vous désirez? questionna-t-elle.

Alors l'homme eut une affirmation surprenante:

– C'est moi, dit-il, en faisant un pas en avant.

Éberluée, Barbara le laissa entrer. L'arrivant enleva son chapeau, l'accrocha au portemanteau du vestibule, puis déposa son paquet sur la console.

– Je vous demande pardon, dit Barbara, mais vous devez faire erreur...

Jango ouvrit de grands yeux :

– Ce n'est pas possible, soupira-t-il. Sans blague, Barbara, tu ne me reconnais pas ? Ou c'est histoire de plaisanter ?...

Barbara réfléchit rapidement. Elle subissait la situation et ne trouvait pas la force de réagir. Elle pensa vaguement à une farce montée par un copain. L'arrivant venait de l'appeler Barbara. Le fait qu'il se servît de son surnom avait quelque chose de rassurant. (En réalité, elle s'appelait Albertine.)

Par ailleurs, l'homme avait des gestes et des expressions qui frétillaient dans sa mémoire.

– Parole, assura-t-elle, je ne vous connais pas. Il y a bien quelque chose du côté du nez... Et aussi les yeux... C'est stupide, mais le menton... Faites voir à la lumière...

Jango poussa la porte du studio et s'approcha de la fenêtre. Il offrit son visage au soleil qui ruisselait sur la rue de Rennes. Barbara le scruta, un peu comme on le fait pour un tableau.

– C'est formidable, déclara-t-elle soudain en riant, formidable... Je te jure, Jango, que je ne

29

t'avais pas reconnu. Qu'est-ce que tu as fait? Tu t'es maquillé?

Jango exhala un soupir de soulagement.

– Je ne me suis pas maquillé...

– Mon œil! fit Barbara. En tout cas, tu devrais monter sur les planches, parce que c'est rudement torché. Tu parviens à ne plus être toi du tout, tout en restant toi... Tu peux pas comprendre...

– Mais si, je comprends... Je comprends. Tu as dit, tout de suite : c'est formidable ; moi aussi j'ai prononcé ce mot-là.

Subrepticement, il ôta la rosette du colonel qu'il avait fixée à sa boutonnière dans un édicule public.

– Et maintenant? demanda-t-il.

– Oh, merde! rugit Barbara. Non mais, dis donc, tu es plus fortiche que Frégoli. Tu devrais aller faire un tour à Médrano.

Jango se fit modeste. Il était soudain détendu comme s'il avait véhiculé pendant longtemps un lourd fardeau. Il sentait qu'un travail intérieur se faisait dans son organisme. Ses muscles se remettaient en place et son cœur changeait de rythme ; il se faisait plus rapide et plus familier, en quelque sorte. Il ouvrit la fenêtre, respira à pleins bords l'air amolli de Saint-Germain-des-Prés. Il ne pouvait se débarrasser d'un vague sentiment de noblesse assez gênant.

– Si ça ne t'ennuie pas trop, émit Barbara, raconte-moi ce qui se passe.

Jango hésita à révéler que la transformation dont il était capable s'opérait par le simple agrafage de la rosette au revers de son veston.

– C'est un truc que j'ai découvert, dit-il brièvement. Il compléta ses explications, dans le style qu'emploient les maîtres de la chirurgie lorsqu'ils s'adressent à leurs élèves pendant une opération. Concentration, fit Jango. Contraction musculaire... Prodige de volonté...

Pour couper court, il s'approcha de l'aquarium. Les poissons rouges cherchaient une issue à leur bocal, à l'exception du plus gros, l'Aga-Khan – qui, gavé de nourriture, fientait mélancoliquement sur une nappe de graviers roses.

– J'aime bien tes poissons, fit Jango. On dirait des poissons de dessin animé. Ils ont des yeux marrants.

Du doigt, il fit naître une tempête qui mit la panique dans la cage de verre.

Barbara commença d'oublier les métamorphoses de Jango.

– Le paquet que tu as laissé dans le vestibule est pour moi, alors? demanda-t-elle.

– Oui.

– Tu es chou…

« Hibou, joujou, caillou, genou », se récita Jango. Il rêva à une odeur d'école.

– Eh bien, va voir ! conseilla-t-il.

Barbara s'éclipsa, un vague sourire dans le regard. Elle avait reconnu le paquet avant Jango. Le papier et la ficelle provenaient de la confiserie d'en bas. Quand elle revint dans le studio, elle avait la bouche pleine.

– Ils sont fameux, ces chocolats. Tu as fait des folies.

Elle tendit ses lèvres où le rouge cyclamen et le chocolat formaient une boue écœurante.

Poliment, Jango accepta le baiser de reconnaissance qu'on lui proposait.

– Ça a marché, pour le colonel ?

– Pas mal, admit Jango. (Il sortit l'enveloppe que le neveu lui avait remise et y préleva cinq mille francs qu'il déposa à côté de l'aquarium, devant les yeux globuleux et absents de l'Aga-Khan.)

– Voilà ta commission…

– Merci. J'avais peur que tu aies des difficultés avec Maurice…

– Maurice ?

– Le neveu. C'est un petit salaud.

Jango haussa les épaules.

– J'ai vu, dit-il... Il cherchait de mauvais prétextes pour ne pas payer. Mais j'ai élevé la voix et il s'est mis à la raison. C'est pour ça que je donne toujours mes rendez-vous d'affaires dans une grande brasserie. De cette façon, on a les types en main.

– Tu es futé, admira Barbara.

– Oh! C'est une question de jugeote, fit modestement Jango. Vois-tu, enchaîna-t-il aussitôt, la vie est pleine de gens dégueulasses... Je pense à ce petit type à moustaches...

– Maurice?

– Maurice, oui... Voilà un garçon, son oncle devait le gâter... Et il le fait disparaître pour hériter... Tu as connu le colonel?

Barbara toussota. Elle chercha à se donner une contenance pour dissimuler son embarras; n'en trouvant pas, elle se résigna à rougir exagérément.

Jango découvrit son trouble et en tira les conclusions qui s'imposaient:

– Tu as couché avec? questionna-t-il paisiblement.

– C'est-à-dire...

– Il n'y a pas de mal à ça, assura Jango. C'était un homme très convenable.

Barbara vit qu'elle pouvait se confier sans mortifier le moins du monde son visiteur.

– Ça s'est fait bêtement, commença-t-elle. Tu sais, je le connaissais. Je l'avais rencontré une nuit à la Reine Blanche, sur le Boulevard ; on avait causé… Il m'avait raconté sa vie, comme le font tous les hommes saouls. Il habitait chez son oncle, because ses parents sont morts. Le vieux…

– Je t'en prie, protesta Jango.

– Le colonel, rectifia docilement Barbara, lui menait la vie dure et le traitait de paresseux…

– J'ai idée qu'il n'avait pas tort.

– C'est aussi mon avis. Ce Maurice est un vaurien, un de ces garçons qui sont persuadés que pour être quelqu'un il faut avoir couché avec un nègre et ne pas avoir de préjugés. Tu saisis ?

– Je saisis.

– Bon. Figure-toi que malgré sa saoulographie, Maurice a eu une idée, et une idée qui se défendait. Il m'a proposé de me présenter à son oncle afin que je le séduise. Il avait remarqué que le vieux lorgnait les petites femmes. Il paraît que lorsqu'il se baladait au Luxembourg, le colonel laissait tomber sa canne et faisait semblant de ne pas pouvoir la ramasser. Il attendait qu'une petite se baissât afin de regarder dans l'ouverture de son corsage.

– Alors, il t'a présentée ?

– Oui. Et ça a rudement bien marché… Ces anciens militaires sont naïfs comme des collégiens. Deux jours plus tard, il venait là.

– Non!

– Si! Et il était encore vert, le bougre. Mais radin…

– Il ne faut pas juger les gens trop vite, objecta Jango.

– Tout ce que tu voudras, mais quand un vieux te casse les pieds avec Verdun et ses rhumatismes pendant une demi-journée, il doit avoir la délicatesse de te laisser un cadeau. Soyons logiques! Toi, Jango, tu ne mettrais jamais les pieds ici sans m'apporter un petit quelque chose. Pourtant, nous sommes surtout en relation d'affaires, tous les deux.

– C'est vrai, reconnut Jango, flatté par cet hommage. Enfin, tu sais ce que c'est que les vieux…

– Sapristi, ça n'est pas une maison de retraite, ici!… J'en ai eu marre et c'est alors que je me suis dit comme ça que le colon ferait un bon client pour toi. J'ai mis cette idée dans le crâne de Maurice, et voilà…

Barbara s'approcha du guéridon et s'empara des cinq billets de mille francs. Elle caressa l'argent avec une satisfaction d'où était exclue toute cupidité.

– Tu es chou, redit-elle.

Au lieu d'une règle de grammaire, ce fut l'image d'une crucifère qui s'épanouit dans l'imagination de Jango. Un énorme chou pommé poussa dans sa mémoire, s'effeuilla comme une rose d'automne et libéra un minuscule Jango décoré de la Légion d'honneur. Jango étudia ce phénomène qui s'opérait dans une ambiance de songe.

Puis il abandonna cette fantasmagorie pour penser à ce que venait de lui révéler Barbara sur le colonel et sa façon de se comporter avec elle. Il était peiné de ce que la jeune femme n'en eût pas conservé un très bon souvenir. Les allusions de Barbara au sujet de la ladrerie de l'ancien militaire l'humiliaient sans qu'il pût s'expliquer pourquoi. Comme il ne pouvait préciser ses griefs contre son amie, sa rancœur prit le neveu pour objectif.

– Il faut être un beau voyou pour faire assassiner un oncle qui vous a élevé, déclara-t-il avec tant de brusquerie que Barbara sursauta. Si j'avais été au courant, je me demande, vois-tu, si j'aurais accepté ce travail…

Barbara chercha une formule concise, susceptible de présenter une philosophie accommodante.

– Chacun mène son affaire comme ça lui

chante, exposa-t-elle. On n'a pas à s'inquiéter de savoir si ceux qui vous font travailler sont des crapules ou des enfants de Marie, parce qu'alors, il n'y aurait plus moyen d'entreprendre quoi que ce soit.

Elle chercha encore des arguments.

– Si tu te mets à discuter les raisons des gens qui t'apportent de l'ouvrage, je te le dis, Jango, tu es fichu.

– Pourquoi? demanda Jango, impressionné.

– Parce que… T'as un métier difficile, ne l'oublions pas. Ce n'est pas tout le monde qui peut être exécuteur privé. Il faut de l'énergie, du sang-froid, de l'intelligence… T'es aux prises avec des dangers incessants… Tu ne peux pas te permettre de faire du sentiment.

– Non, reconnut de bonne grâce Jango, je ne peux pas me permettre ça.

Il tourna la tête vers l'aquarium et rencontra le monstrueux regard de l'Aga-Khan qui venait de déféquer.

– Chacun doit faire ce qu'il doit faire, enchaîna Barbara qui commençait à être surprise par sa propre facilité d'élocution et la profondeur de son jugement. Il doit le faire parce qu'il a choisi ce qu'il fait, ou bien parce qu'il peut pas faire autre chose. Regarde autour de toi: Tout le monde fait son petit bisness consciencieusement, même s'il trouve que c'est pas malin. L'Aga-Khan nage dans sa cuvette de flotte, moi je fais l'amour avec des types qui trouvent que c'est plus drôle qu'avec leur femme, Maurice se fait faire des cochonneries par des Sénégalais, et toi, tu lui tues son oncle, moyennant cinquante billets ; c'est régulier...

Jango hochait la tête tendrement. Il avait oublié la rosette et un bien-être tiède et facile se répandait jusque dans ses extrémités.

– A propos des cinquante billets, dit-il, bonne-maman trouve que ce n'est plus le prix ; elle me dit que c'est toujours mon tarif de 1944 et que je dois le rajuster. Il paraît que des types à Pigalle prennent des deux cents billets et plus. Et comme travail, faut voir, c'est fait en dépit du bon sens, à la mitraillette le plus souvent... Qu'en penses-tu ?

La question parut d'une telle importance à Barbara qu'elle ne voulut pas livrer son opinion sans une bonne minute de réflexion.

D'instinct, elle était hostile à l'idée d'une augmentation. Mais comme c'était la mère de Jango qui était la promotrice de cette augmentation, elle voulait la combattre en termes mesurés et en se basant sur des arguments de valeur.

– L'idée de ta mère se défend, commença-t-elle. Parce que tu vas me dire que la vie a augmenté. Bien sûr, le prix du kilo de pain a triplé depuis 44. Seulement, ne perdons pas de vue que l'argent se fait rare. Les gens regardent sur tout. Tu me diras : « Mais cinquante mille francs, c'est peu quand on a la perspective de faire un bel héritage ou quand on veut se séparer de son conjoint sans passer par les tribunaux… » D'accord, d'accord. Ta mère, Jango, elle doit penser à ça. Dans un sens, on ne peut pas lui donner tort ; mais réfléchis : un héritage est toujours incertain, sans compter que ça réserve des surprises parfois désagréables… Cinquante mille balles, par ailleurs, c'est le prix d'un petit divorce… Ta réussite est basée sur cette somme. Tu mets le… la… disparition à la portée de tous. Si tu forces sur le devis, tu tombes automatiquement dans la classe fortunée. Or, ces gens-là n'ont pas besoin de toi pour liquider leurs petites affaires ; il y en a qui achètent un fusil à leur jardinier et le tour est joué. Ou alors, ils se paient les caïds à deux cents billets…

Barbara reprit son souffle.

– Ces rupins, Jango, tu n'as pas les moyens de les toucher. Pourquoi ? Parce que tes affaires se font comme les assurances : par relations, et que tu n'as pas de relations dans ces milieux.

Suppose que mon épicier de la rue du Four ne vende que des boîtes de caviar et des fruits exotiques! Tu penses qu'il aurait des clients, toi?

Elle eut un rire forcé afin de donner plus de force à sa comparaison.

– Crois-moi, mon chou.

Au passage, Jango essaya d'accrocher un *x* au mot chou.

– Crois-moi, mon chou, ton lot à toi, c'est le bourgeois. Il ne faut pas que tu en démordes. Avec les bourgeois, tu es tranquille. Ils ne te feront jamais d'ennuis, ils sont bien trop peureux. De plus, tu ne seras jamais fabriqué, question pognon. Un exemple? Cette petite lope de Maurice: voilà un gars pourri de vices, de dettes et de fausses théories, eh bien, tu vois, il t'a payé comptant!

Jango se détendit sur son canapé.

– C'est vrai, se plut-il à reconnaître. Ma vieille Barbara, tu raisonnes comme une reine.

Barbara évalua la comparaison. Elle songea à Marie-Antoinette (la seule reine qu'elle connût d'un peu près pour avoir lu un feuilleton à son sujet) et pensa que l'image était moins flatteuse que Jango ne le supposait. Néanmoins, elle ne lui en fit pas la remarque. Au contraire, elle feignit d'être extrêmement flattée et vint s'asseoir à ses côtés.

Jango prit cette attention pour de la provocation et mit sa main entre les cuisses de Barbara qui prit cette politesse pour du désir. En très peu de temps, ils se trouvèrent dans la tenue et l'état d'esprit nécessaires et, grâce à ces petites confusions réciproques et successives, ils firent l'amour. L'un et l'autre étaient consciencieux.

Bien que Jango fût habitué au corps pulpeux de Barbara, et Barbara aux assauts timorés de Jango, ils prirent à cette peu coûteuse distraction un certain plaisir.

– J'ai bien fait de ne pas amener Zizi, dit Jango lorsque ce fut fini.

Il exagérait la satisfaction qu'il venait de tirer de ce divertissement physique. Barbara assura qu'il avait eu une riche idée. Elle était sincère, car elle ne pouvait pas souffrir Zizi.

Ils avaient échangé des paroles trop solennelles avant leur étreinte pour donner à la conversation une allure sérieuse. Aussi parlèrent-ils des poissons, d'une transformation probable d'un manteau de Barbara en tailleur, du temps (de la veille), d'un antiquaire de la rue Dauphine, d'un accident de car, des touristes débarquant à Saint-Lazare, de la rareté du beurre, du temps (du lendemain), et de l'orthographe du mot «jugeote». Lorsque, Larousse en main, Jango eut prouvé à son amie que le mot litigieux ne s'écrivait qu'avec un seul «t», il rajusta son pantalon et dit à Barbara son intention de partir.

Au moment de le raccompagner, la jeune femme poussa un petit gloussement.

– Refais-le-moi! s'écria-t-elle.

– Quoi donc? demanda Jango, inquiet.

– Ton truc de tout à l'heure. Ton déguisement, quoi!

Cette requête contraria Jango. Il se détourna et fixa la rosette à son revers de veste.

Barbara ne put réprimer un petit cri de surprise.

– Tu... Vous... Oh! C'est formidable! répéta-t-elle.

Jango enleva la rosette pour ne pas effaroucher Barbara qu'il embrassa, et descendit l'escalier. Des sensations inconnues le tourmentaient à nouveau. Il s'engagea dans la rue de Rennes, troublé par des pressentiments.

*

Après le départ de Jango, Barbara se mit à penser à lui. Elle conservait de son exercice de transformation un souvenir ému. Jango occupait une grande place dans la vie de la jeune femme. Pourtant, il n'y occupait aucune position précise, car il n'était ni son amant, ni son collaborateur, ni son confident. Il n'était rien de cela, parce qu'il était tout à la fois.

Elle mangea les chocolats qu'il lui avait apportés, tout en se peignant devant sa coiffeuse. Comme beaucoup de femmes inoccupées, Barbara consacrait à ses cheveux le plus clair de son temps. Comme beaucoup de femmes également, elle croyait posséder une chevelure ensorcelante. En général, celle-ci était blond cuivré.

Cette teinte ou plutôt cette teinture convenait à sa carnation et à la couleur de ses yeux.

Les dents d'écaille mordaient dans les lourdes boucles ; elles broutaient des mèches folles et étiraient de longs reflets fragiles comme du verre filé.

Barbara absorba le dernier chocolat et contempla la boîte vide avec écœurement. Elle regrettait sa gourmandise, qu'elle allait payer d'une nausée de longue durée.

Comme elle hésitait à prendre un vulnéraire, on sonna.

C'était Maurice.

– 'soir ! grommela-t-il.

Et il entra avant qu'elle l'en eût prié.

Le premier sentiment qu'éprouva Barbara fut la peur. Une peur indéfinie, causée par la commission que lui avait remise Jango sur la mort du colonel. Il lui sembla que Maurice lisait en elle et qu'il allait se venger de cette tractation dont il avait fait les frais.

– Quel hasard ! fit-elle d'une voix maladroite.

Maurice repoussa la porte du talon.

– Je grimpe tes deux étages après avoir changé deux fois de métro, et tu appelles ça un hasard, gouailla-t-il.

Barbara le fit entrer au studio. Comme l'avait fait Jango tout à l'heure, il s'approcha de l'aquarium.

– Ne mets plus ta cendre de cigarette dans l'eau des poissons rouges, avertit Barbara. L'autre jour, l'Aga-Khan en a bouffé et il a failli en crever.

Maurice ôta posément sa cigarette américaine de ses lèvres et la secoua à plusieurs reprises au-dessus de l'aquarium.

Barbara se dit que si elle avait un revolver, elle viderait volontiers un chargeur dans le gilet mauve de Maurice.

Ce dernier guettait les réactions de Barbara, mais elle mit un point d'honneur à se contenir et son attente fut vaine.

– Ça y est, dit-il.

– Qu'est-ce qui y est ?

– Ce cher vieux tonton est chez saint Pierre.

– Ah !

– Tu n'as pas l'air surprise…

Barbara haussa les épaules :

– Je vois pas pourquoi je le serais, étant donné que c'est moi qui t'ai fourni toutes les indications pour qu'il fasse le voyage.

Maurice se laissa choir sur le canapé.

– Enfin, c'est drôle, mais j'attendais d'autres réactions de toi.

– Sans blague ! Tu ne voudrais peut-être pas que j'éclate en sanglots. Après tout, ton « Père la Victoire » ne m'était rien…

Ces promptes ripostes surprirent quelque peu Maurice et le déconcertèrent. Il se mit à tirer sur sa petite moustache de bellâtre en sifflotant des choses vagues.

Lorsqu'il eut récupéré :

– Ton exécuteur maison est un con, fit-il doucement. D'abord, il a une tête de pasteur évangéliste.

– Vaut peut-être mieux ça que de trimbaler une tête de salaud, ne put s'empêcher d'affirmer Barbara.

– C'est pour moi que tu dis ça ?

– Qu'est-ce qui te fait croire que ça pourrait être pour toi ?

Elle mit tant de candeur dans cette dernière question que Maurice renonça à se fâcher.

– Passons, fit-il. Outre son physique, je lui reproche également de saboter le travail dont il se charge.

– Ah oui ? sursauta Barbara qui fit aussitôt un rapprochement entre les réflexions de Maurice et les espèces de scrupules que Jango avait semblé manifester.

– Voilà un bonhomme, expliqua Maurice, que je vais trouver pour qu'il fasse de moi un héritier. Pour que j'hérite de mon oncle, quelle est la condition essentielle ?

– Qu'il soit mort.

– Bravo ! Puisque tu as un esprit de déduction aussi poussé, tu vas peut-être pouvoir me dire quelle preuve on peut fournir de la mort d'un homme.

Barbara ne comprit pas. Elle haussa ses sourcils en manière d'interrogation.

– Sans doute m'exprimé-je mal, poursuivit Maurice en riant méchamment. Je veux dire que sans la dépouille d'un homme, on ne peut pas prouver que celui-ci soit claqué. Tu saisis ? Ton Jango à la noix a lessivé le juteux, d'accord ; seulement il vient me dire, la bouche en cœur, qu'il a anéanti le corps. Alors là, je proteste, parce que pas de cadavre, pas de décès reconnu, donc pas d'héritage, tu piges ?

Barbara fit signe qu'elle comprenait.

– Et moi, comme un crétin, j'ai allongé cinquante billets à cet hurluberlu pour qu'il m'empêche d'hériter. Ah! On peut dire que tu m'as refilé un fameux tuyau…

Comme Barbara bougeait ses lèvres, il ajouta :

– Quoi? Tu disais quelque chose?

Barbara secoua la tête. Non, elle ne disait rien. Elle avait trop de mal à réprimer son envie de rire.

Maurice se leva pour arpenter la pièce. Il ressemblait à une bête nuisible. Il avait une démarche étroite, peureuse et souple.

Barbara le regardait sans mot dire. A la fin, elle fit un effort pour détendre l'atmosphère.

– Renseigne-toi sur les délais…

Maurice ne demanda pas de quels délais il s'agissait : il avait compris.

– Et puis, n'oublie surtout pas de signaler la disparition de ton oncle.

– J'ai le temps, dit-il, je ne suis pas censé m'inquiéter sérieusement avant cette nuit.

Barbara, dans un grand élan d'altruisme, se voulut sédative.

– Enfin te voilà libre! En somme, tu pourras faire pas mal de fric rien qu'en vendant les collections du vieux.

– Les femmes sont pratiques, murmura Maurice.

Mais on le sentait soulagé.

– Moi qui m'étais préparé un alibi, soupira-t-il. Comme je savais que la chose devait se passer du côté de Poissy, je suis allé me faire suer à Versailles. Je me suis envoyé le château, le parc, les deux Trianons et le hameau : au moins dix kilomètres d'allées et venues en compagnie d'un vieil Anglais à qui j'ai dû raconter toute l'histoire de France. J'avais conservé mes billets de musée ; je m'étais fait remarquer par les gardiens en leur posant des questions... Tout ça en pure perte...

– Baste, ça t'a fait du bien, un peu d'exercice, dit Barbara.

CHAPITRE III

En descendant de la gare, Jango chercha sa maison au milieu d'une grève de toits multiformes, l'identifia grâce à sa cheminée en forme de pas de vis, et sourit d'aise. En s'exhalant, son souffle devint harmonieux, et bientôt il découvrit que tout son être fredonnait une chanson d'allégresse.

Il s'arrêta chez l'épicier italien afin d'y acheter des dattes pour bonne-maman et une sucette pour Zizi. Lesté de ces emplettes, il s'achemina vers son logis d'où s'échappait une fumée de bonheur, rectiligne et bleue.

Ce fut Zizi qui lui ouvrit la porte du jardin.

– Y a quelqu'un, lui dit le gamin. Je crois que c'est pour du travail.

Jango passa par l'office où bonne-maman épluchait des pommes de terre pour le repas du soir. Il embrassa sa mère et déposa la boîte de dattes sur son tablier.

– Oh ! Par exemple…, fit la vieille femme.

Chaque fois que Jango allait à Paris pour toucher une «prime», il s'arrêtait chez l'épicier italien pour y effectuer les mêmes achats. Bonnemaman ne manquait jamais de feindre une surprise, excessive, comme si, chaque fois, il se fût agi de sa fête ou de son anniversaire.

Elle rendit son baiser à son fils.

– Un monsieur t'attend au laboratoire, Zizi te l'a dit?

– J'y vais.

Il accrocha son chapeau au trophée de chasse flanquant la glace à trumeau du corridor, rajusta sa cravate et, après un coup d'œil en direction de Zizi, fixa la rosette du colonel à sa boutonnière.

Zizi ne s'aperçut de rien car, pour l'heure, il était uniquement occupé à imprimer à sa sucette un mouvement de va-et-vient à l'intérieur de sa bouche.

L'homme qui attendait Jango était un personnage à tête de tirelire et qui avait tendance à se développer dans le sens de la largeur. Il devait se prendre pour quelqu'un de sérieux et s'efforçait de faire partager cette conviction à ses semblables. Mais c'était un faible, du moins en témoignaient son regard peureux et ses gestes hésitants.

– Que puis-je pour vous? questionna Jango

avec une certaine rondeur, après avoir salué son visiteur.

L'homme se mit sur ses pieds ; il parut plus petit que dans la position assise. Une surprise profonde passa sur son visage.

Il n'avait pas dû se faire une idée exacte de Jango. Et, sans doute, l'être sévère qui se tenait devant lui ne l'incitait-il pas à formuler le coupable objet de sa visite.

– Je… Excusez-moi, il doit y avoir une erreur…, commença-t-il.

Il aperçut la Légion d'honneur éclairant la boutonnière de son interlocuteur ; cette découverte fortifia l'impression qu'il éprouvait de s'être trompé.

Jango acheva de le dérouter en questionnant :

– C'est pour quoi ?

L'homme ouvrit la bouche, mais ne put proférer une parole. Jango coula un regard sans curiosité entre les deux mâchoires de son visiteur, et attendit un mot, ou du moins un son. Mais ce fut le silence.

– Quelqu'un vous envoie ? dit Jango d'un ton encourageant.

– Oui, fit l'homme, c'est cela.

Il hésita :

– « Bière et limonade », dit-il comme on lâche une insulte.

– Ah bon. Bon ! Je vois ce que c'est. Qui vous a donné le mot de passe ?

– M. Séraphin.

Jango consulta sa mémoire.

– M. Séraphin… M. Séraphin… Attendez : c'était pourquoi ?

L'homme baissa les yeux :

– Pour sa première femme.

– Oui, s'écria Jango, j'y suis : une petite boiteuse, hé ?

– Précisément, se hâta de dire l'homme-tirelire.

– Alors, questionna Jango, comme ça, il s'est remarié ?

– Hé oui ! grommela l'autre d'un ton tellement réprobateur que Jango comprit immédiatement qu'il ne partageait pas la ténacité de M. Séraphin sur le terrain conjugal.

– Et ça marche avec sa nouvelle femme ?

– Lali-lala…

– Au cas où il regretterait cette nouvelle union…, commença Jango.

– Entendu, coupa l'homme, je le lui dirai. Je suis venu vous trouver pour moi.

– Pour vous ?

Le petit homme eut un sursaut ; ses fesses en goutte d'huile tremblèrent.

– Je m'exprime mal ; je voulais dire : au sujet de mon épouse.

– Il y a combien de temps que vous êtes marié ? demanda Jango.

Comme son interlocuteur paraissait interloqué, il s'empressa d'expliquer :

– Je me méfie lorsqu'un nouveau marié vient me trouver. Souvent, il a du remords et me téléphone au dernier moment pour décommander le... la cérémonie. Au contraire, chez les vieux conjoints, tout se passe bien. Ils mettent une vie parfois à se décider, mais lorsque leur résolution est prise...

– Moi, monsieur, s'exclama le candidat au veuvage, j'ai vingt-quatre ans de mariage !

Pour Jango, ce renseignement était aussi éloquent qu'un extrait de casier judiciaire.

– Parfait.

Il s'enquit de l'âge, du caractère et des habitudes de l'épouse. Il nota ces renseignements et demanda :

– Vous êtes pressé ?

– Assez, dit l'homme, je prends mes vacances le mois prochain...

Ils parlèrent de la Provence où le client comptait passer son repos annuel. Jango connaissait Fontvieille, les Baux et les courses de cocardes... Ils échangèrent amicalement des images

53

ruisselantes de soleil. L'un proposait le Moulin de Daudet, l'autre évoquait une spécialité culinaire de Saint-Rémy.

– J'allais oublier de vous demander où vous habitez, fit soudain Jango.

– Paris…

Avez-vous une idée du prétexte à invoquer pour faire venir votre femme ici?

– J'y ai réfléchi en cours de route. Depuis quelque temps, elle me tourmente pour que je loue un pavillon en banlieue. Je vais lui dire qu'on m'en a indiqué un. Je lui conseillerai d'aller le visiter et lui donnerai votre adresse.

– Vous l'accompagnerez?

– Dieu non! s'écria le client de Jango.

– Mais, s'étonna ce dernier, Madame ne sera pas surprise que vous la laissiez venir seule?

– Du tout! Depuis longtemps, elle a pris l'habitude de tout faire sans moi…

Il dit cela d'un ton si pitoyable que Jango en fut tout remué et qu'il pressentit un drame intérieur.

– Quand pensez-vous me l'envoyer? interrogea-t-il.

L'homme-en-largeur réfléchit.

– Voyons, dit-il, nous sommes mardi… Est-ce que jeudi vous conviendrait?

Jango consulta son bloc pour la forme.

– Entendu pour jeudi.

– Donnez-moi votre numéro de téléphone, fit l'ami de M. Séraphin, pour le cas où il y aurait contrordre…

Lorsqu'il eut inscrit le chiffre sur son agenda, il pensa qu'il devait parler des conditions.

– Elles n'ont pas varié, prévint Jango. Cinquante mille… payables après… Ça n'est pas cher. Vous avez des types sans moralité, à Pigalle, qui vous en demandent deux cents, payables *cash*, et qui vous cochonnent le travail. Sans compter les ennuis avec la police quand ces crapules se font prendre.

Le client eut l'air de trouver la somme raisonnable. Il en témoigna par un accès soudain de volubilité aimable.

– Ça fait plaisir de s'adresser à quelqu'un de sérieux pour une chose aussi délicate, dit-il. Si l'occasion se présente, je parlerai de vous en termes chaleureux. On ne sait jamais… Vous voyez, mon ami Séraphin…

Il huma avec précaution les lieux où le destin de son épouse allait bientôt s'accomplir. Une question pénible le tourmentait.

– Est-ce que… Est-ce qu'on souffre ?

– Pas une seconde ! affirma Jango.

Il ajouta, rassurant :

– J'ai toujours eu les meilleurs résultats avec

ma technique. Faites-moi confiance, votre femme sera bien traitée. Elle ne s'apercevra de rien. Y a-t-il des objets qu'elle ait sur elle et que vous désireriez récupérer? Remarquez que je ne vous le conseille pas, car c'est dangereux. Mon principe est celui-ci : plus rien ne doit subsister des personnes qui pénètrent ici pour y être traitées. Je travaille d'une façon nette.

Jango se tut tout à coup, car il venait de penser à la rosette qui fleurissait à sa boutonnière.

Une tristesse indéfinie l'accabla. De plus, la noblesse qui s'introduisait en lui chaque fois qu'il ornait son revers du précieux ruban l'indisposa comme un mets mal cuit. Il eut hâte de voir partir son client afin de pouvoir réintégrer sa véritable personnalité.

Ses aspirations furent satisfaites. Après quelques échanges de vues concernant le général de Gaulle, l'épidémie de typhoïde, la hausse des transports, le temps (de ces jours derniers), les tomates provençales, et la question indochinoise, le petit-homme-plus-large-que-haut-à-tête-de-tirelire se leva pour le bon motif.

Jango et lui convinrent d'un rendez-vous pour le jour qui suivrait le décès de la conjointe ; après quoi, Jango fit les ultimes recommandations.

– Lorsque vous irez déclarer sa disparition au commissariat, conseilla-t-il, affirmez bien haut que vous n'envisagez pas la possibilité d'une fugue. Les policiers riront sous cape et seront persuadés que vous êtes cocu ; certes, c'est désobligeant, mais ils n'auront pas l'idée de vous poser d'autres questions. De sorte que vous ne risquerez pas de vous troubler. L'affaire sera classée et, au bout de trois ou quatre ans, vous pourrez vous remarier, si le cœur vous en dit.

L'homme aux fesses en gousses d'ail révéla que le reste de ses jours serait uniquement consacré à la philatélie et au bœuf braisé (dont sa femme avait une profonde horreur).

Il tendit sans répulsion, ce dont Jango lui sut gré, une petite main de vieux bébé, et prit congé.

En traversant le jardin, les deux hommes croisèrent Zizi qui s'acharnait sur le manche dénudé de sa sucette.

Le monsieur tapota la joue du gamin et lui donna dix francs en lui conseillant de les convertir en sucreries.

Zizi dit : « merci m'sieur » et poussa un cri en ne reconnaissant plus son père. Jango réalisa promptement la raison de la stupeur qui transformait ce physique éveillé de Zizi en celui d'un crétin de village. Discrètement, il mit un doigt sur ses lèvres.

Une fois la porte ouverte, l'homme-qui-se-développait-dans-le-sens-de-la-largeur se jeta à l'extérieur comme on se défenestre. Il rentra sa poitrine loin derrière sa cravate, et prit le chemin de Paris.

Jango repoussa la porte et donna un tour de clé. Puis il se montra à Zizi avant de se séparer de la rosette. Le gosse était un peu pâle.

– Pourquoi que tu te déguises? demanda-t-il sur un ton de reproche.

Jango, de la main, indiqua que pour des raisons inconnues, il différait sa réponse. Il avait porté la rosette trop longtemps et il était fourbu. Il avait l'impression de s'être simultanément débarrassé d'un mauvais dentier, d'un slip trop étroit, de chaussures trop petites et d'une lettre compromettante.

– Ce n'est rien, dit-il enfin pour rassurer Zizi. Je voulais rire.

– Comment que tu fais ça?

– C'est un secret…

– Tu m'apprendras?

– Plus tard, promit Jango.

– Il faut la médaille du colonel pour réussir ce tour?

Jango fut étourdi par tant de perspicacité

chez un enfant. Il ne répondit pas à cette question trop précise et s'en fut rejoindre bonne-maman.

Une casserole ronronnait sur le feu. Par endroits, la purée gonflait et éclatait avec un petit happement de fumeur de pipe. Il se formait alors de minuscules cratères qui s'uniformisaient pour composer de nouveaux volcans en éruption.

– Tu as l'air tout chose, remarqua bonne-maman.

– C'est vrai, reconnut Jango.

– Quelque chose qui ne va pas?

La vieille femme crevait la peau d'une énorme saucisse au moyen d'une épingle.

– Tu la fais cuire comment? demanda Jango dont ces préparatifs culinaires émouvaient les papilles.

– Au vin blanc…

Elle attendit un peu, espérant que les confidences ne tarderaient plus. Mais son fils ne se décidait pas.

– Ce serait pas que tu t'ennuies? dit-elle brusquement.

Jango fit volte-face et mit ses yeux dans les yeux usés de sa mère.

Il démêla de l'anxiété et un amour éperdu dans cet infini maternel.

– Écoute, m'man, te tracasse pas. Seulement, il se produit quelque chose de bizarre.

Il prit la rosette.

– Tu sais ce que c'est que ça?

Bonne-maman plissa les paupières.

– C'est la décoration du colonel?

– Oui, eh bien, tu vas voir quelque chose.

Jango fixa une fois de plus le ruban à sa boutonnière. Bonne-maman fit un pas en arrière pour le considérer.

– Ça ne te va pas mal.

– Comment, bégaya Jango, tu ne t'aperçois de rien!

– Je ne comprends pas…

Il se précipita sur le miroir fixé au-dessus de l'évier. Il s'y trouva nez à nez avec le personnage attentif et sévère dont il avait fait la connaissance dans les waters du train.

– Enfin quoi! Ce n'est plus moi…

Bonne-maman fut sérieusement alarmée.

– Jango! Tu es malade, mon petit…

Jango haussa les épaules et appela Zizi. Au sursaut qu'eut le gamin en entrant, il sut qu'il était bien dans les apparences qu'il supposait.

– Ne fais plus ça, supplia Zizi. Je te reconnais plus et ça me fait peur.

Il ajouta, triomphant:

– Je savais bien que c'est avec la médaille du vieux que tu réussis ton tour.

Il fallut bien se rendre à l'évidence : la métamorphose n'était pas perceptible pour bonne-maman. On lui révéla le phénomène avec beaucoup de précautions.

Elle crut d'abord à une farce concertée ; puis elle douta de sa vue, après quoi elle adopta une attitude prudente et savamment dosée, faite d'un peu de scepticisme, d'un soupçon de crainte superstitieuse et de beaucoup de naïf orgueil.

L'aventure la rendit enjouée. Au cours du repas, elle affirma que nul artifice ou sortilège n'empêcherait jamais une mère de reconnaître son fils. Comme par ailleurs la saucisse était succulente, la vieille femme déploya pendant le reste de la soirée une bonne humeur à toute épreuve.

*

Après les poires, Jango accorda un peu d'attention rétrospective à son visiteur à tête de tirelire.

Il devinait qu'une fois veuf l'étrange bonhomme traverserait une ère de bonheur et, tout en étant fier de jouer dans ce cas le rôle du Destin, il ne pouvait s'empêcher de l'envier.

Et ce qu'il enviait le plus chez l'individu en question, c'était son amour avoué pour la philatélie et le bœuf braisé, car lui, Jango, s'enlisait sans joie dans la routine du train-train quotidien. Aucune manie ne donnait à sa vie une impulsion profitable. Aucune de ses distractions n'avait plus de valeur qu'un simple passe-temps.

Il ressentait durement son incapacité dans l'art délicat d'employer ses moments perdus. Car la véritable personnalité d'un individu se manifeste principalement au cours des heures vides ménagées dans le courant de son activité.

Jango n'ignorait pas que chez les êtres d'élite ces heures-là, précisément parce qu'elles sont vides, sont les mieux remplies. Sa rosette le rendait ambitieux et lui faisait désirer la pratique d'un art.

Il ne connaissait pas la musique. Par ailleurs, comme il n'était ni trompettiste dans un jazz nègre, ni pédéraste, ni vedette de music-hall, ni américain, il ne pouvait espérer se lancer dans la littérature avec quelque chance de réussite. Il ne se supposait pas non plus de dispositions pour la peinture ; pourtant, à la réflexion, il se dit que son ignorance du graphisme et des couleurs jouait en sa faveur. Les hebdomadaires à sensation révélaient chaque semaine un prodige dans ce vaste domaine. En huit jours, un amateur pouvait être lancé, pour peu qu'il peignît innocemment n'importe quoi et qu'il eût la bonne fortune de rencontrer un directeur de galerie en mal de poulains ou un journaliste en mal de copie.

Sans compter, le hasard est grand, qu'on peut toujours être découvert par M. Cocteau ou Mme Édith Piaf...

*

Jango résolut de creuser la question ultérieurement et, en attendant de détrôner le Douanier Rousseau, accepta une partie de dominos que proposait Zizi.

CHAPITRE IV

Pour prouver son inquiétude à Sainte-Thérèse, la vieille bonne de son oncle (qu'il avait ainsi surnommée parce qu'elle portait dans un scapulaire un morceau de la robe de la sainte précitée), Maurice passa la nuit en tête à tête avec une bouteille de whisky.

De temps à autre, la vieille domestique, à qui il avait ordonné de se mettre au lit, se relevait pour voir si le colonel était rentré. Chaque fois, Maurice créait l'«ambiance» en téléphonant soit aux pompiers, soit à un hôpital. A quatre heures, Sainte-Thérèse ne retourna pas se coucher, et Maurice, à peu près ivre, ne songea pas à le lui reprocher.

L'aube les surprit dans le petit salon. Maurice avait l'estomac tordu par l'alcool. Sainte-Thérèse avait les yeux bouillis dans le chagrin. Une pendule ancienne annonça cinq heures.

– Doux Jésus ! se lamenta la servante. Ce pauvre monsieur doit être mort !

Le visage de Maurice se décomposa. Deux larmes salèrent ses joues.

Sainte-Thérèse, bien qu'elle eût été – à son vif regret – empêchée de la matrice, ressentit entre estomac et pubis un picotement maternel. Elle surmonta sa propre douleur pour consoler le neveu vénéneux.

– Allons, allons, fit-elle en lui prenant les mains. Ayons confiance en la toute-puissance du Seigneur.

Maurice la repoussa du coude.

– Laissez-moi donc tranquille, gémit-il, j'ai envie de dégueuler…

Sainte-Thérèse retourna à ses sanglots, à la fois vexée et outrée de constater que Maurice pleurait en un pareil moment pour une douleur d'entrailles.

– C'est pas des façons de boire tant d'alcool, murmura-t-elle. Si ce pauvre monsieur était là…

La pensée qu'en effet son oncle n'y était pas, et qu'il n'y serait pas avant le Jugement dernier, soulagea Maurice.

– J'ai bu parce que je me caille les sangs, expliqua-t-il en geignant. Au lieu de marmonner, vous feriez mieux d'aller me préparer une infusion.

La servante quitta la pièce et, avant de franchir le seuil, tourna le commutateur, car le jour rendait la lumière électrique déplacée.

Une pénombre froide s'abattit sur le salon. Maurice ouvrit la fenêtre. Le boulevard sortait de l'engourdissement de la nuit. Quelques voitures de livraison passèrent ; le pas d'un ouvrier éveilla des échos assoupis.

Le jeune homme respira voluptueusement et referma la fenêtre. Cette nuit de veille l'avait détraqué. Il but l'infusion de verveine que lui apportait Sainte-Thérèse, fit la grimace et attendit que l'ordre régnât dans son estomac. Pour oublier son malaise, il se mit à évaluer les bibelots précieux que son oncle avait accumulés. Barbara ne se trompait pas en affirmant qu'il pourrait faire du fric avec les collections. Le mois prochain, il s'achèterait une automobile...

*

Un bain, un habillage soigné et un œuf au jambon le menèrent à huit heures.

Il dit alors à la vieille bonne qu'il allait signaler la disparition de son oncle au commissariat du quartier. En descendant l'escalier, il sifflota.

– Vous avez l'air bien joyeux, ce matin, monsieur Maurice, lui dit le portier.

Maurice se mordit les lèvres et prit une mine éplorée.

– Joyeux! Parlez-m'en...

Il fit part de sa prétendue mortelle inquiétude au concierge. Le brave homme, un mutilé de 14-18, qui n'avait pas connu d'aventures depuis celle de Verdun, se réjouit intérieurement de l'événement. Il prononça des paroles de réconfort d'une manière distraite, son imagination étant en train de caser sa photo sur quatre colonnes en première page du *Parisien libéré*. Dès que le jeune homme eut disparu, il mit au point une méthode rationnelle de diffusion pour cette importante nouvelle. Il commença à la semer de chaque côté de l'immeuble: chez le crémier et la marchande de parapluies; puis il vint prendre la faction au bas de l'escalier pour l'apprendre aux locataires matinaux. A dix heures, il prospecta les étages. Il redescendait des chambres de bonne au moment où Maurice revenait du commissariat et faillit l'arrêter pour lui apprendre que le colonel n'était pas rentré de la nuit et que, comme il s'agissait d'un vieux cochon, il était permis de penser qu'il avait été victime d'une femme de mauvaise vie.

Sainte-Thérèse se précipita. Elle attendait un coup de sonnette depuis la veille, et celui de Maurice lui déchira le cerveau.

– Alors ? demanda-t-elle.

– Rien de nouveau, soupira le neveu, j'ai fait ma déposition. J'ai même porté une photographie de mon oncle au commissaire, à toutes fins utiles... Il ne nous reste qu'à attendre.

Comme au cours de la nuit ils avaient envisagé toutes les possibilités (sauf la bonne, bien entendu), ils n'eurent plus rien à dire. Maurice, afin de fuir les larmes de la vieille, s'enferma dans sa chambre pour lire. C'était une histoire incertaine, écrite dans un style incertain, qui ne tarda pas à le faire bâiller. La vérité oblige à dire que sa nuit blanche était également pour beaucoup dans cet exercice de mâchoires. Il s'allongea sur son divan et s'endormit comme une sentinelle.

Un nouveau coup de sonnette tira simultanément Sainte-Thérèse de sa cuisine et de son chagrin. Par la même occasion, comme il était vigoureux (le coup de sonnette, pas le chagrin), il tira Maurice de son sommeil.

La domestique et le neveu du colonel se trouvèrent dans l'antichambre en même temps. Ensemble ils ouvrirent la porte à un homme très ordinaire ; tellement ordinaire, même, qu'on ne l'aurait pas remarqué s'il avait été seul dans une galerie de métro. L'individu portait un complet dont il était impossible de se rappeler la couleur dès que celui qu'il vêtait avait tourné le coin de la rue, une cravate de Prisunic et un physique de mots croisés. Il porta deux doigts à la bordure d'un chapeau imaginaire – ou qu'il devait réserver pour des cérémonies officielles –, s'inclina légèrement, simplement pour permettre à ses interlocuteurs de voir qu'il avait une tonsure et de l'éducation, toussota et demanda si M. Maurice Borel était là, siouplaît!

Maurice affirma qu'il était soi-même; sur quoi le visiteur devint triste.

Sainte-Thérèse le fit entrer au salon.

L'homme refusa le siège que Maurice lui désignait.

– Je suis l'inspecteur Charlemagne, dit-il avec simplicité. Et je viens au sujet de la disparition de votre oncle.

Un cortège de limaces descendit l'échine de Maurice. Son cœur se fit confidentiel.

– Ah!... Alors?

– Ayez du courage, conseilla d'un ton neutre le policier.

– J'en ai, assura Maurice.

– Il est mort! hurla Sainte-Thérèse qui n'attendait qu'une confirmation de la chose pour s'évanouir et se répandre sur le tapis de haute laine.

– Oui, fit Charlemagne, il doit être mort.

Sainte-Thérèse réussit un cri et tomba comme dans du Shakespeare. Les deux hommes ne lui accordèrent pas la moindre attention : le policier parce qu'il avait l'habitude de cette sorte de réaction, le neveu parce qu'il était terrorisé. Maurice douta de Jango, de Barbara et de lui-même.

– Pourquoi dites-vous « il doit » être mort ? questionna-t-il.

L'inspecteur Charlemagne s'expliqua :

– On a amené à la morgue un type, un vieux gland, enfin, je vous demande pardon, un monsieur âgé dont le signalement correspond en tout point à celui que vous avez fait de votre oncle ce matin au commissariat.

– Mon Dieu, soupira Maurice, soulagé.

– Si vous voulez bien m'accompagner jusqu'à la morgue, pour l'identification…

– Mais comment donc !

Ils enjambèrent la servante et partirent. Dans sa hâte, Maurice omit de fermer la porte palière. Sainte-Thérèse sortit du salon et alla s'évanouir dans l'antichambre où le soleil ne risquait pas de l'incommoder et où quelque locataire l'apercevrait sûrement.

*

– Qu'en dites-vous ? demanda Charlemagne. C'est lui, hein ?

Maurice se pencha au-dessus de la bassine allongée qui recelait le corps. Du premier regard, il comprit qu'il ne s'agissait pas du colonel. Néanmoins, le cadavre offrait une ressemblance frappante avec son oncle. Comme l'ancien militaire, il était grand, de mine austère, d'allure distinguée (encore qu'il eût le nez écrasé), le poil blanc et, vraisemblablement, de bonne famille. Maurice vit dans cette ressemblance curieuse un signe du destin. Il se dit qu'il ne risquait rien à reconnaître ce défunt comme étant son parent. En cas de contestations postérieures, il pourrait toujours alléguer qu'il s'était trompé. Cette solution lui permettrait d'hériter ; à moins, bien entendu, que quelqu'un ne vînt lui disputer le cadavre.

– C'est lui, c'est bien lui, pleurnicha-t-il.

Et il accoucha de plusieurs larmes authentiques, ce dont il ne se serait pas cru capable.

– Il me semblait, triompha Charlemagne.

– Que lui est-il arrivé ?

– Tombé d'un train, je crois…

Comme ils allaient sortir, deux hommes s'approchèrent d'eux. L'inspecteur Charlemagne leur serra la main et dit en désignant Maurice :

71

– C'est bien le colon. Son neveu vient de le reconnaître.

Il ajouta à l'intention de Maurice :

– Voici mes collègues de la P. J. qui s'occupent de l'enquête.

Les arrivants grognèrent ; Maurice supposa qu'ils le saluaient, et s'inclina.

– Oui, dit le plus gros des deux policiers. C'est nous qu'on s'occupe de votre onc' ! Sale affaire, hein ?

Le jeune homme esquissa un mouvement de tête prudent.

– Le gars qui l'a lessivé a eu du culot.

– Co... Comment ?

– Reluquez-le de près. Il a pris un coup de barre de fer en pleine poire.

– Mais je croyais... qu'il était tombé d'un train ?

Les deux policiers eurent un ricanement que l'inspecteur Charlemagne s'empressa de reproduire.

– Il est tombé parce qu'on l'a balancé par la portière.

– Non !

– Si... L'assassin a fait vite. Il lui a barboté ses bijoux et son portefeuille.

– Un crime crapuleux, alors ? murmura Maurice qui était parvenu à arracher sa langue de son palais.

– Ou qu'on veut faire croire crapuleux, remarqua doucereusement celui des policiers qui n'avait encore rien dit.

Maurice en eut froid dans le dos. Il soupira en pensant à son alibi.

– Où l'agression a-t-elle eu lieu?

– Dans le train de Versailles, hier matin.

Il n'eut que le temps de fermer la bouche, car il se serait mis à baver. Brusquement, la peur lui mordit les parties.

– Vous n'avez plus besoin de moi? demanda-t-il aux inspecteurs.

Le plus autoritaire secoua lentement la tête.

– Pas pour le moment...

Les trois hommes le regardèrent s'éloigner.

Dès qu'il fut sorti, le gros cligna de l'œil.

– Oh! vous croyez? fit Charlemagne.

*

En sortant de la morgue, Maurice héla un taxi.

– Boulevard Richard-Lenoir!

L'imminence du danger lui procurait un sang-froid bienfaisant. Une ligne de conduite s'imposait à lui: avant tout, prouver qu'il ne s'agissait pas de son oncle. Ce serait délicat, car il l'avait reconnu d'une façon bien positive. Il comptait faire rétablir la vérité par Sainte-Thérèse et par le concierge.

Parvenu devant chez lui, il conserva le taxi, s'engouffra sous le porche, y rafla les deux personnages qu'il venait chercher et qui parlaient dans un courant d'air, les poussa nerveusement dans le taxi en criant : « A la morgue ! »

– Voilà, exposa Maurice avant que la servante et le portier fussent revenus de leur surprise. Il y a, à la morgue, le corps d'un monsieur qui ressemble à mon oncle. Il lui ressemble même au point que j'ai cru que c'était vraiment lui.

– Doux Jésus ! fit Sainte-Thérèse par acquit de conscience.

– Nom de Dieu ! rectifia le concierge...

Maurice les interrompit d'un salut à la romaine.

– Écoutez-moi, au lieu de pleurnicher. J'ai cru que c'était lui. Il n'est pas facile à identifier, car il lui manque le nez...

Sainte-Thérèse porta la main à sa gorge, puis sur le bras de Maurice pour l'interrompre.

Le neveu s'arrêta de parler.

– Seigneur Dieu ! exhala la servante.

Maurice haussa les épaules.

– Sacrebleu! Allez-vous me laisser achever, vieille bique?

Sainte-Thérèse estima qu'elle venait d'obtenir un motif suffisant pour bouder et s'acagnarda dans un coin du taxi.

– Pourtant, reprit Maurice, à la réflexion, je ne crois pas que ce soit lui. Je vous emmène à la morgue, vous jugerez…

Il estima que le moment était venu de les suggestionner.

– Mon pauvre oncle était plus grand… plus aristocratique, murmura-t-il sur le ton du soliloque. Il me semble qu'il avait le menton plus allongé…

Le portier ne disait rien, mais il espérait bien que le corps qu'on allait lui montrer serait celui du colonel. Un sourire béat derrière les lèvres, il préparait des adjectifs pour raconter aux gens de l'immeuble ce qu'il allait voir.

Ils arrivèrent à la morgue. Les deux types de la P. J. s'y trouvaient encore. Maurice leur expliqua que, pris de doute quand à l'identité du cadavre, il préférait que d'autres familiers du colonel donnassent leur opinion. Le gros dit d'un ton presque sarcastique que c'était là une excellente idée.

A la vue du cadavre, Sainte-Thérèse et le portier eurent un même cri:

– C'est lui !

Les tripes de Maurice se nouèrent.

– Voyons, insista-t-il. Au contraire, pour ma part, il me semble que… Ça n'est pas son menton ça, bonté !

Tout à coup son visage s'éclaira : il venait d'avoir une idée.

– Dites donc, fit-il au gros inspecteur, il n'était pas à poil quand on l'a trouvé ?

– Nous avons ses vêtements.

– On peut y jeter un coup d'œil ?

Le cortège se dirigea vers une petite pièce dont l'ameublement se composait d'une seule table. Sur cette table était allongé un complet noir.

– Je reconnais ses habits ! cria Sainte-Thérèse. Mais oui, c'est bien là son complet. J'avais fait une reprise à la doublure avant-hier.

Un des flics retourna la veste et désigna un léger raccommodage sous l'aisselle gauche.

– Mais oui ! Mais oui ! dit la domestique. Doux Jésus, je reconnais mon travail…

– Elle reconnaît son travail, répéta le gros à son collègue.

– Elle reconnaîtrait aussi bien le pape, Laurel et Hardy ou le roi d'Angleterre, dans l'état d'esprit où elle se trouve ! éclata Maurice, désespéré par cette accumulation de hasards perfides. Vous ne voyez donc pas que ces deux abrutis se sont mis dans le crâne que votre macchabée est mon oncle ; ils ont la tête aussi dure qu'un trottoir de bitume, et rien ne les en fera démordre. Vous leur auriez montré le cadavre d'un chimpanzé qu'ils auraient juré qu'ils le connaissaient...

Il se tut, les pommettes en feu. Sainte-Thérèse hésitait à amorcer une prière, le portier se frappait le front en prenant les policiers à témoin. Ces derniers ne disaient rien ; ils couvaient Maurice d'un regard moelleux.

Furieux et honteux, le jeune homme haussa les épaules et partit sans un salut. Comme il sortait, la voix du gros policier le rattrapa.

– Hep, vous !

Maurice s'immobilisa.

– Vous êtes bien pressé, fit l'homme.

– Ces deux idiots m'énervent...

– Et pourquoi qu'ils vous énervent, cette dame et ce monsieur ? insista le flic, heureux de donner une leçon de politesse à ce freluquet à moustaches qui ressemblait à une fille mal déguisée.

– Ils veulent à toute force identifier mon oncle, et je suis sûr que ce n'est pas lui...

– Pourtant, tout à l'heure, vous avez juré à

mon collègue Charlemagne que ça ne pouvait être personne d'autre...

– Ma première impression a été fausse, je m'en suis rendu compte par la suite...

Le gros avalait les paroles de Maurice en promenant sa tête comme un reliquaire. Le neveu attendait des mots réconfortants.

– Ainsi, vous persistez à dire que ça n'est pas lui?

– Je suis prêt à le jurer.

– Vous pouvez le prouver?

– Le prouver?...

– Ouais.

Maurice se tordit les mains.

– Mais c'est ridicule, dit-il, je n'ai pas à vous prouver que ce cadavre n'est pas celui de mon oncle...

– Si, puisque deux personnes prétendent que c'est le sien.

Ils marchèrent en silence; chacun faisait pensée à part... Maurice se demandait pourquoi l'inspecteur l'accompagnait. Il se demandait également où il devait aller et ce qu'il devait dire pour paraître innocent. Car il se trouvait dans l'état d'esprit d'un suspect. Il se demandait pourquoi il lui arrivait une pareille aventure. Il se demandait si le destin ne se fichait pas de sa figure et si le colonel ne mijotait pas dans quelque purgatoire une sale vengeance de juteux.

– Entre nous, dit le gros homme, qu'est-ce que vous faisiez hier entre dix heures et midi ?

– Sans blague, s'étrangla Maurice, vous ne voulez pas dire ?...

Le flic rentra un peu son reliquaire entre les épaules.

– Enfin, quoi ! Votre tonton en a pris un coup dans la gueule, oui ou non ? Il faut savoir qui c'est qui lui a refilé. Mon boulot, c'est de trouver le type qui était à l'autre bout de la barre de fer quand le choc s'est produit.

Maurice ne put proférer un mot ; il se dit que son chemisier était un imbécile de lui faire des cols aussi serrés.

– Remarquez, poursuivit le gros, remarquez que je ne dis pas que vous avez fait le coup... Mon boulot, c'est de savoir... P't'être que vous êtes un brave type qui aimait bien son tonton, p't'être aussi que non. On peut rien dire... Si je vous disais que moi, j'en ai vu des drôles, en douze ans...

Brusquement, le gros eut l'air heureux de vivre et d'être flic. Il enchaîna, une expression satisfaite peinte sur sa figure pourpre :

– Les gens se font des idées sur les assassins. Ils s'imaginent qu'ils ont des têtes à part ; c'est idiot… J'en ai vu qu'on n'aurait pas remarqués dans la rue. Tenez, vous, par exemple, on se dirait : « C'est un petit jeunot d'aujourd'hui, y ne doit penser qu'à se donner du bon temps. » Mais mon boulot, c'est de vous dire : « Qu'est-ce que vous faisiez hier entre dix heures et midi ? »

– J'étais chez une copine, fit-il, car il venait de décider de laisser de côté son alibi de Versailles.

– Je peux vous demander son adresse ?

Maurice donna l'adresse de Barbara.

Le gros s'arrêta de marcher. Il sortit une vieille enveloppe d'une poche et y nota le renseignement avec application.

– Bon, sur ce, je vous laisse… Au plaisir.

Il inclina son reliquaire. Maurice s'efforça de sourire au regard gluant posé sur lui.

– Au plaisir, balbutia-t-il.

Il s'éloigna sans se presser, attendant que l'inspecteur eût tourné la rue ; après quoi, il se précipita dans un bar-tabac pour téléphoner à Barbara.

Il eut la chance de l'avoir immédiatement au bout du fil.

– Allô ! Barbara ?… Ici Maurice.

– Ah, fit avec une suprême indifférence la voix lointaine de Barbara.

Ce peu d'enthousiasme anéantit le jeune homme.

– Il faut absolument que je te voie…

– Tu connais mon adresse, non?

– Je ne peux pas aller chez toi, ce serait dangereux…

– Sans blague! Et pourquoi que ça serait dangereux?

– J'ai les condés sur le dos; je t'expliquerai…

Barbara poussa une exclamation dans la petite passoire d'ébonite.

Qu'est-ce qui se passe?

– Je ne peux rien te dire ici. File illico à la Reine Blanche, je vais te rejoindre.

– Pas tout de suite.

– Pourquoi, grogna Maurice, tu es en mains?

– Non, je me coiffe…

Tant de puérilité le fit s'étrangler de fureur.

– Moule-moi avec tes sacrés tifs. Et arrive…

Il raccrocha.

– Un double Martini! ordonna-t-il au patron.

Il ne savait plus bien où il en était. Les événements se déroulaient à la cadence d'un mauvais film policier. En général, les suspects de films policiers engloutissent des doubles quelque chose dans tous les bars qu'ils rencontrent. Maurice les imitait. Cela ressemblait à un jeu et c'était au fond très amusant.

Il prit un taxi qui le conduisit boulevard Saint-Germain. Il n'eut pas longtemps à attendre ; Barbara survint, traînée par un animal bizarre que Maurice estima être un chien.

– Où as-tu trouvé ce cauchemar ? demanda le jeune homme.

– Ne te fiche pas de moi, c'est un chien de race…

– De laquelle ?

– J'en sais rien, mais je l'ai payé cinq mille balles. Tu ne le trouves pas bien ? Il s'appelle Flick.

– Pas mal, c'est toi la marraine ? En tout cas, c'est de circonstance.

Barbara devint grave.

– Alors, qu'est-ce qui ne va pas ?

Maurice lui relata par le menu les incidents de la matinée.

– Tu comprends, conclut-il, je ne pouvais pas dire au flic que j'avais passé ma matinée d'hier à Versailles ; il aurait bien entendu fait un rapprochement entre cette excursion et le fait que mon prétendu oncle ait été tué dans le train de Versailles.

– Bien sûr…

– Alors, je lui ai dit que j'avais passé la matinée chez toi.

– Chez moi ? fit Barbara, un peu hébétée.

– Pardine, puisque tu es dans la combine. Tu peux bien me rendre ce service…

– C'est pas possible !

Maurice coula sur sa compagne un regard blanc.

– Pas possible, hé ? Je voudrais bien savoir pourquoi. N'oublie pas, ma douce colombe, que si les choses se gâtaient, je ne me laisserais pas mettre sur les reins un crime que je n'ai pas commis… Peut-être – tout est possible quand on est dans les pattes de la police – me laisserais-je aller à dire la vérité, toute la vérité et rien que la vérité…

– Ça te changerait, remarqua Barbara. En tout cas, tu serais rudement salé.

– Pas tellement, si je disais que c'est toi qui es l'instigatrice de la disparition. Je jouerais au petit gars faible qui n'a pas eu la force d'empêcher le crime. Avec un bon avocat, ça ne doit pas aller chercher bien loin…

Barbara regarda Maurice comme on regarde une araignée.

– Fumier ! prononça la jeune femme avec conviction.

– Bon, alors j'étais chez toi hier entre dix heures et midi ?

Barbara passa en revue son programme de la veille. Il lui vint sur les lèvres un bon sourire.

– Mais bien sûr, mon chéri, que tu y étais hier, entre dix heures et midi. Seulement, tu y étais tout seul.

Tout émoustillée, elle s'expliqua :

– Hier matin, je suis allée chez une cartomancienne de la rue Saint-Martin, avec ma concierge. Quand tes poulets viendront vérifier ton alibi, ils commenceront par se tuyauter dans la loge, la chose est courue, et ils apprendront qu'aux heures qui les intéressent j'étais de l'autre côté de la Seine, en train de me faire prédire l'avenir.

Elle sourit tendrement aux prédictions que lui avait faites la vieille bonne femme.

– Un grand jeune homme blond, balbutia-t-elle. Un, deux, trois, l'as de cœur : passion. Et le roi de trèfle avec du pognon…

– Quand tu auras fini de déconner, s'impatienta Maurice, nous essaierons de réfléchir à la situation… Sacredié, me voilà dans un foutu merdier !

– T'énerve pas, supplia Barbara, adoucie par les promesses enchanteresses de la cartomancienne. Et tiens, il me vient une idée : on va aller trouver Jango ; ne ricane pas, c'est un garçon plein de bon sens, je parie qu'il trouvera la solution pour tout aplanir. Sans compter que s'il possède encore les effets de ton oncle, on pourra peut-être prouver d'une façon ou d'une autre que le bon vieux de la morgue, c'est pas lui…

Maurice se rendit au raisonnement de Barbara sans protester.

– Si tu crois…, soupira-t-il. On y va tout de suite?

– On va d'abord s'envoyer une choucroute, décida Barbara, il faut se soutenir…

Elle se leva d'un air décidé, tapota sa jupe pour la défroisser et tira sur la laisse qu'elle tenait en main. A l'autre bout de la courroie, il y eut un frétillement, la chose informe et velue qu'elle appelait Flick s'ouvrit à une de ses extrémités en émettant un bruit de bâillement.

CHAPITRE V

– P'pa! Je peux descendre faire pipi?
demanda Zizi comme tous les matins.

Jango exigeait que le gamin passât par cette
humble formalité, car Zizi avait tendance à
abuser du prétexte. On avait vu des cas où il
s'était levé au chant du coq pour musarder,
nu-pieds, dans toute la maison.

Jango, bien qu'à moitié endormi, examina
honnêtement la requête.

– Vas-y, permit-il, mais prends tes pantoufles
et ne traîne pas.

Il ajouta, après avoir évoqué la fonction à
laquelle le gosse allait souscrire:

– Attention de ne pas faire sur le bord du
siège.

Zizi ne trichait pas. A l'oreille, Jango étudia
ses faits et gestes. Quand Zizi remonta, il l'appela.

– Entre.

Il sourit au visage rieur.

– Bonjour, p'pa…

– Bonjours, fils. A propos, tu as retrouvé ton lapin, hier?

– Non, bonne-maman et moi, on l'a cherché presque tout l'après-midi, et puis le monsieur qui voulait te parler est arrivé et on n'y a plus pensé.

Jango étudia la frimousse dorée de Zizi. Il soupçonnait vaguement son fils de mensonge, mais se refusait à le questionner d'une manière trop pressante, de peur de ruiner son prestige paternel au cas où Zizi serait sincère.

– Va te recoucher, dit-il, nous essaierons de le trouver tout à l'heure.

Peu après, bonne-maman se leva. En passant devant la chambre de Jango, elle heurta la porte sur un rythme convenu.

Ce signal servait à rappeler à son fils que c'était son jour d'effectuer les emplettes domestiques.

– Voilà! cria joyeusement Jango.

Il ne fut pas long à se vêtir. Prétextant le soleil, il étrenna un pantalon de lin, passa une chemise saumon et noua à son cou un léger foulard de soie.

– Bigre! fit bonne-maman en le voyant apparaître, tu t'es fait beau comme un artiste de théâtre.

Elle lui servit un thé au citron, et lui donna le

sac à provisions et la liste des denrées qu'il devait acheter. Jango se hâta de partir avant le lever de Zizi pour éviter des demandes et des refus toujours pénibles.

La petite ville des bords de Seine était coquette comme un décor suisse. Ce matin-là, elle sentait la lessive et la rose. Le soleil entrait dans la poreuse pierre meulière des pavillons comme dans les rayons de cire d'une ruche. Au loin, sur la Seine, des frégates aux cornettes de religieuses cherchaient une brise fugace.

Jango se sentait paisible et languide. Il allait d'un pas de bonheur qui n'effrayait même pas les lézards. Il saluait tout le monde et tout le monde le saluait. Le facteur qu'il rencontra lui remit une carte postale représentant cent mètres de Côte d'Azur. La carte, émanant de vagues cousins éloignés qui avaient conjugué leurs signatures pour que le libellé ne dépassât pas cinq mots, laissa Jango insensible, mais le facteur l'émut. Il proposa un verre de vin blanc. Ce n'était pas de refus. Ils trinquèrent et se séparèrent. Le boulanger entra au café pendant que Jango réglait les deux vins blancs. Ils se saluèrent et convinrent qu'il faisait beau. Le boulanger fit servir deux autres blancs d'autorité. Les deux hommes commencèrent alors une importante conversation sur la panification. Quand ils eurent vidé le sujet, ils se penchèrent sur les crédits militaires, sur le Tour de France, sur la pêche et ils allaient aborder la délicate question de la Radiodiffusion française lorsque Jango, soucieux de ses achats, manifesta l'intention de partir.

– Je vais chez vous, dit-il au boulanger en riant. Vos baguettes sont-elles bien cuites à point, aujourd'hui?

– Nous sommes mercredi, répondit le boulanger.

Jango fronça le sourcil. Il ne comprenait pas en quoi ce jour de la semaine pouvait influer sur la cuisson du pain. Le commerçant souriait de le voir chercher.

– Voyons, finit-il par dire, le mercredi est mon jour de fermeture...

Jango se moqua de son manque de mémoire et, fort civilement, exprima au boulanger son regret de devoir se servir chez son concurrent.

– Mais pas du tout! s'écria le brave homme. Pour les amis, il n'y a pas de fermeture. Venez avec moi!

Il le remorqua jusqu'à sa cour, lui fit enjamber des fagots et l'introduisit dans ses appartements en passant par son four.

– Entrez, entrez donc! N'ayez pas peur, la patronne ne vous mangera pas, faisait le boulanger à la cantonade afin de prévenir sa femme de leur arrivée.

Celle-ci amena un regard par la porte de la cuisine, poussa un petit cri de confusion en reconnaissant Jango, et se dépêcha d'ôter son tablier de caoutchouc.

Elle s'empressa. Jango faisait des courbettes et des sourires avec un petit air gêné qui fit battre le cœur de la boulangère. La brune ardente avait formé dans sa jeunesse le projet de devenir institutrice. Hélas, son niveau d'instruction n'ayant pu s'élever au-delà du brevet élémentaire, elle n'avait pu réaliser cette louable ambition. Elle gardait de cette tentative une vive attraction pour les gens et choses de l'esprit ainsi que pour les bonnes manières. Jango lui plaisait à cause de son exquise politesse, de son visage sérieux et de sa conversation choisie.

– M. Jango ne se souvenait plus qu'on était fermé le mercredi, expliqua le mari. Sapristi, je n'ai pas voulu qu'il aille chercher son pain chez Cudet.

Il cligna de l'œil pour Jango.

– Qu'est-ce que vous diriez si je vous faisais manger du pain blanc, du vrai pain blanc comme avant la guerre?

Jango se récria. Il exprima sa confusion ; il dit

que «vous me gênez horriblement, M. Porlin, et ça n'est pas raisonnable»; que «je ne sais pas si je dois accepter» et que «la maman et le petit ouvriront de grands yeux; et comment vais-je vous revaloir ça?»

Heureux de son geste, le boulanger s'étonnait qu'on pût s'attirer tant de gratitude avec un kilogramme de farine.

– Que vas-tu offrir à M. Jango? demanda la boulangère.

– De la clairette de Die, décida le boulanger. Le matin, c'est tout indiqué.

Jango ne savait où se mettre. Il finit par s'abattre dans un fauteuil afin d'y subir commodément les largesses des boulangers. Il les connaissait depuis plus de dix ans, mais leurs relations ne s'étaient jamais développées ailleurs que devant le comptoir de leur magasin. Jango, malgré sa gêne, appréciait fort les caprices du hasard qui le plaçaient aussi soudainement dans l'intimité des commerçants.

Pendant que son mari descendait à la cave, la boulangère s'assit en face de Jango. Elle croisa les jambes si haut qu'il crut découvrir son intimité jusqu'à l'estomac. Au lieu de rougir suivant son habitude, Jango montra beaucoup d'assurance. Il sourit si gentiment à la boulangère qu'elle s'y perdit et ne sut quelle attitude adopter. Elle se débattait dans l'incertitude lorsque, à sa profonde stupeur, elle vit Jango s'arracher de son fauteuil et franchir, la lèvre goulue, les quatre-vingt-dix centimètres qui les séparaient. Elle fut embrassée toute vive et d'une façon si savante qu'elle en eut la nuque meurtrie comme d'un coup de matraque. Ce rudimentaire hommage rendu à son hôtesse, Jango abandonna les bras de la brune ardente pour ceux de son fauteuil. En un laps de temps très réduit, il venait de mettre au point un curieux programme de séduction dont il sera parlé en son temps, et duquel il escomptait plus de satisfactions morales que de félicités physiques.

– Vous allez me goûter cette clairette ! tonitrua le boulanger.

Il servit le vin mousseux et ils trinquèrent. Apercevant un cor de chasse accroché audessus d'une photographie représentant le couple en mariés, Jango s'enquit avec intérêt du nom de la personne qui utilisait ce viril instrument.

– C'est moi, dit le boulanger.

Et il accepta, en se frappant la poitrine, les compliments de son invité :

– Ça, j'avoue, il faut du souffle, avoua-t-il.

Tonton, tontaine et tonton… Ah, ça vous fait gonfler le cou.

Il voulait, sur l'heure, donner un récital, mais sa femme l'en dissuada, alléguant que la clinique d'accouchement était proche.

— Et vous, demanda le bonhomme, avez-vous un passe-temps?

Jango vit dans la question une preuve que le Destin choisissait ses gens et ses instants pour se manifester. Il fut troublé qu'on lui posât une semblable question le lendemain du jour où il avait pris la résolution de s'adonner à un art.

— La peinture, s'entendit-il répondre.

— Comme ça se trouve! glapit la brune ardente. Dans mon jeune âge, j'étais attirée par la peinture, moi aussi…

Jango convint qu'en effet, ça se trouvait bien.

— Seulement, poursuivit la boulangère, je n'avais aucune disposition.

Jango assura qu'elle péchait par excès de modestie.

— J'y pense! dit-elle en réussissant un petit cri de souris prise au piège. J'ai encore ma boîte de peinture au grenier; puisque vous êtes artiste, je vais vous la donner. J'espère qu'elle pourra vous être utile… Jules, ordonna-t-elle à l'époux enfariné, monte au grenier; c'est une boîte grosse comme ça, avec une courroie. Tu verras, dans la grande malle.

Docile, le boulanger s'exécuta. Jango se débattait, croulant sous les largesses, mais la boulangère, s'autorisant du précédent de tout à l'heure, vint lui manger ses protestations dans la bouche.

Ils entendaient les pas du mari à l'étage supérieur. Étroitement unis, Jango et la boulangère broutaient leurs langues consciencieusement. Une grosse faim tourmentait la partie inférieure de leur individu.

Ils se séparèrent pour respirer.

– Au crépuscule, chuchota la femme, j'irai me promener du côté de l'écluse.

– C'est un endroit charmant, fit Jango.

Un peu déroutée, elle l'observa.

– Vous aimez le petit bois ?

– Énormément.

Elle eut l'air rassuré et poussa un soupir qui souleva la mèche capricieuse de Jango.

*

– Eh bien, tu en as mis du temps ! s'exclama bonne-maman. Ma blanquette ne sera jamais prête pour midi. Qu'est-ce que c'est que cette

94

boîte de colporteur? On dirait que tu viens proposer du coton à repriser.

Jango mit sa mère au courant des événements. La vieille femme fut heureuse de savoir que son fils allait devenir un grand peintre et elle le fut plus encore du pain blanc.

Zizi battit des mains.

– Quand c'est que tu vas commencer ta peinture, dis p'pa?

– Tout de suite…

– Je vais t'aider?

– C'est impossible, voyons…

Jango ressentait des démangeaisons dans les doigts. Il avait hâte d'écraser des couleurs, de les délayer, de les étendre sur une surface plane. Il allait créer un univers somptueux aux couleurs nobles.

– Tu vas peindre quoi? demanda bonne-maman.

La question embarrassa Jango. Ce qui comptait pour lui, c'était de jouer avec la couleur, au gré de l'inspiration. Il sentait qu'en donnant des lois, des tendances, voire même un simple motif à son art, il le limitait et s'éloignait de lui.

– Je monte dans ma chambre pour être dans le calme, fit-il.

Assis sur son lit, il ouvrit la boîte et essaya de se repérer au milieu de tous ces tubes, de tous ces flacons dont l'utilité lui paraissait bien incertaine. Il regrettait de ne pas avoir de manuel à sa disposition pour la mise en train. Un simple mode d'emploi lui aurait été d'un grand secours. Pourtant, à force de tâtonnements, il parvint à donner à chaque objet une signification approximative. Quand il jugea son éducation express au point, Jango se mit en quête d'une toile susceptible d'accueillir ses transports artistiques. Après beaucoup d'hésitations, il se décida à peindre sur l'envers d'une toile sans valeur achetée aux Puces pour le prix du cadre. Le tableau convenait, de par ses dimensions, à une première tentative ; il était d'un format modeste et faux, en ce sens qu'il était trop haut pour sa largeur ; mais, précisément parce qu'il sortait des calibrages classiques, on le devinait tout prêt à devenir un chef-d'œuvre. Jango examina le recto de la toile qui allait être le verso de la sienne. Il représentait un compotier d'abricots sur un fond de tenture ocre. C'était voyant et d'une composition douteuse. Jango n'eut pas de regret. Il se dit au contraire que ce tableau avait suffisamment incommodé d'yeux et qu'il était grand temps qu'on le mît au piquet. Loin d'être gêné par les abricots, il éprouvait une joie de mauvaise qualité à peindre sur leur dos. Ayant mélangé au petit bonheur du bleu de prusse et du vermillon, il trempa un pinceau de taille moyenne dans de l'huile de lin, l'enduisit de la couleur obtenue, qu'il estimait curieuse, et commença à tracer de larges lignes imprécises sur la toile. Cet épais dessin terminé, il marqua un temps d'arrêt pour juger de l'effet produit. Il se gratta le nez, perplexe. Le dessin résultant de cette rapide opération pouvait, suivant l'imagination, évoquer un intestin, une carte du Japon, la caricature de M. Robert Schuman ou n'importe quoi, vu par un enfant de quatre ans. Comme les taches d'encre dans une feuille pliée, le graphisme était bizarre et plein d'embûches. Jango étudiait cette armature sans parvenir à décider comment il allait la vêtir. A la fin, ce qu'il crut être la voix de son génie artistique lui souffla qu'il tirerait un heureux parti de cet entrelacs de traits en le cultivant avec un tempérament de portraitiste. Cette suggestion le ravit et passa à l'état de décision. Jango sourit de son hésitation… Comment n'avait-il pas découvert dans son graphisme les éléments d'un visage ? Maintenant, le dessin se dépouillait de son mystère. Un nez plongeant, un front haut, une petite oreille, une mâchoire tourmentée, avec, comme interprétation des lignes inutilisées, peut-être une moustache en crocs, ou bien un lorgnon, à moins que... oui, après tout, des rides... Le mieux serait de peindre une tête de vieillard...

Jango posa des petites fientes de couleur autour de sa palette. Il respira à pleins poumons l'air de sa chambre chargé d'une électricité créative.

– Au travail ! cria-t-il.

– Tu as besoin de quelque chose ? s'inquiéta Zizi assis au bas de l'escalier.

Non, Jango n'avait besoin de rien ! Fort et sûr de lui comme le navire débouchant du chenal pour affronter la haute mer, il peignait. Il se libérait, la poitrine dégagée, le visage illuminé par le triomphe comme les personnages des réclames pour laxatifs.

La blanquette de veau suspendit pour une heure cette fièvre libératrice.

– Ça marche ? demanda bonne-maman.

– Très bien.

Zizi l'accablait de questions.

– De quelle couleur il est, ton tableau ?

– De toutes les couleurs...

– Comme l'arc en ciel, alors ?

– Oui, comme l'arc en ciel, Zizi.

– Tu peins quoi ?

– Un portrait.

– Le portrait de qui?

La question parut valable à Jango; cependant, il fut étonné de l'empressement avec lequel il la repoussa.

– Le portrait de personne, tu m'agaces…

Ils déjeunèrent en silence. Bonne-maman était peinée de voir le peu de cas qu'on faisait de sa blanquette. Elle en venait à regretter que son fils embrassât sur le tard une carrière artistique. Il se préparait, songeait-elle, bien des tourments. Tristement, elle se disait que leur vie familiale n'aurait plus la même qualité.

Elle vit la confirmation de ses craintes lorsque Jango quitta la table sans avoir roulé sa serviette.

– Tu ne prends pas de café?

– Pas aujourd'hui…

Et hop! Déjà la porte de sa chambre claquait.

La vieille femme soupira. Elle allait desservir, mais elle vit deux larmes dans le regard de Zizi et elle retomba sur sa chaise, les jambes fauchées par un coup de vieillesse. Elle allongea sa main pleine d'os sur la nappe; Zizi posa dessus ses mains potelées de Jésus de crèche et s'arrêta de pleurer. Immobiles, bonne-maman et son petit-fils écoutèrent la chanson que Jango entonnait à tue-tête, là-haut:

Si tu t'engageais dans les zouaves,
Ou dans les chasseurs à pied,
Ça ne t'empêcherait pas d'être brave,
Mais ça t'empêcherait de te noyer...

– Ce sera beau? questionna enfin Zizi.
– Quoi donc, mon chéri?
– Le tableau de papa?
– Bien sûr...
– Pourquoi qu'il peint pas des petits chiens? C'est joli, des petits chiens avec le museau rose...

Bonne-maman imagina le sujet proposé par Zizi.

– Oui, dit-elle, j'ai idée que ce ne serait pas mal. Tu en verrais combien, de chiens, sur le tableau?

– Trois, fit Zizi. Un blanc, un noir, et un noir et blanc...

– Ce serait rudement bien, reprit bonne-maman avec force. Ils seraient dans une corbeille...

– Non, sur un coussin bleu!
– Tu crois?

Ils discutèrent longuement de la composition à donner au sujet.

*

L'eau de la vaisselle bouillait quand Jango les appela, penché sur la rampe.

– Venez voir, tout le monde !

Bonne-maman et Zizi se précipitèrent dans l'escalier. Parvenus devant la chambre, ils s'arrêtèrent net et se turent comme à la porte d'une nouvelle accouchée.

– Entrez, entrez ! invita Jango.

Ils entrèrent, la gorge serrée par l'émotion. Le tableau reposait sur l'oreiller. Un rai de soleil l'éclairait. Bonne-maman et son petit-fils se rangèrent devant le lit, les mains jointes sur le ventre. On aurait pu croire qu'ils venaient visiter un caveau de famille. Le sourcil froncé, la vieille dame et le gamin cherchèrent une vérité dans le rectangle de taches éclatantes que Jango leur proposait.

– C'est un portrait, fit bonne-maman comme pour se convaincre.

Zizi attendit un peu avant de se prononcer. Lorsqu'il eut épuisé toutes les autres combinaisons d'interprétation qu'autorisait le tableau, il répéta :

– C'est un portrait !… Je vois un œil, triompha-t-il en désignant une sorte de mollusque au centre de la toile.

– Voyons, voyons, fit sévèrement Jango, c'est l'oreille !

Partant de ce point de repère que le peintre venait de leur fournir, bonne-maman et Zizi reconsidérèrent la question et finirent par s'y retrouver. Ils purent commenter le portrait.

– C'est un homme, avança bonne-maman.

– Et il est vieux, renchérit Zizi. Regarde ! Il a la moustache et les cheveux blancs…

– C'est très beau.

– Pourquoi que t'as pas peint des petits chiens ? demanda le gamin à son père.

– Quelle idée, dit Jango d'une voix boudeuse. Tu ne le trouves pas bien, mon tableau ?

– Si. Mais si t'avais fait des petits chiens avec le museau rose, ç'aurait été plus joli. Y a pas de rose dans ton tableau ; y a même pas de rouge…

– Il y en a ! affirma Jango, il y en a. Seulement, Zizi, il est mélangé à d'autres couleurs…

Zizi tapa du pied.

– On le voit pas !

Son visage se partagea, ses joues mangèrent ses yeux : il rit.

– Puisque tu as fait le portrait d'un vieux monsieur, mets-lui une médaille rouge…

Envoûté par son art, Jango ne soupesa l'argumentation que sous l'angle de la peinture. Il se dit que le petit n'était pas bête et qu'en effet, une simple tache incarnat réchaufferait le tableau, donnerait plus de réalisme et de vie au portrait.

Il trempa son pinceau dans un rouge vif, humide et onctueux comme du sang, et décora le vieillard.

Il avait à peine retiré son geste que bonne-maman poussa un cri.

– J'y suis! Mais c'est le portrait du colonel que tu as fait...

– Oui! Oui! glapit Zizi. Le colonel, c'est le colonel...

Jango était devenu tout pâle. Ses mains pendaient le long de son corps comme des branches cassées. Il regarda le tableau et enfla sa poitrine pour un cri.

C'était bien l'œil sévère du colonel qui le fixait, glacial et réprobateur. La personnalité de l'ancien officier débordait de la toile. Du reste, ce n'était plus une toile, mais une présence. Et une présence attentive, scrutatrice, hostile.

– Ce que tu es habile! dit bonne-maman. C'est à s'y méprendre.

Jango sentit la louange se faufiler à travers sa peur et trouver sa vanité. Ce qui l'effrayait, c'était d'avoir donné involontairement une ressemblance à son barbouillage.

Involontairement? Voire! Peut-être avait-il

voulu faire le portrait du colonel sans s'en rendre compte ? Cette réalisation surprenante et fortuite n'était-elle pas tout bonnement l'œuvre, non pas de Jango, mais du peintre qui venait de se déclarer en lui comme une rougeole ?

– Hein ! triompha-t-il, l'ai-je bien enlevé, ce sacré colonel ?

CHAPITRE VI

– Tu veux que je te dise à quoi ressemble ton clebs ? proposa Maurice.

– Non.

Maurice se força à rire pour accentuer son ironie.

– Il ressemble à un manchon de fourrure.

– Il est marrant, fit Barbara, attendrie.

– J'aimerais connaître le plaisir que tu éprouves à traîner cette horreur ou à te faire traîner par elle. Moi, à ta place, j'aurais acheté un chien.

– Fiche-moi la paix, bougonna la jeune femme.

Elle serra Flick sur son cœur et le bisota comme pour le réconforter. Mais le chien se moquait des propos malveillants de Maurice et des caresses de sa maîtresse – laquelle, soulignons la coïncidence au passage, se trouvait être épisodiquement celle de Maurice. La tête hors de la portière du train, il humait les beaux jours voluptueusement.

Maurice allait chercher des vacheries à dire lorsque deux dames, plus ou moins en deuil, vinrent s'asseoir à côté d'eux. Après s'être accoutumées à l'ambiance du train, elles hésitèrent entre le tricot et les confidences. L'une tirait déjà sur la fermeture Éclair de son sac lorsque l'autre commença à parler de la jambe articulée de son mari qui le faisait souffrir – ce qui indiquait clairement que le temps allait changer.

La première dame abandonna illico toute idée de tricot et ratifia les prévisions météorologiques de sa compagne en faisant remarquer que les hirondelles volaient bas.

C'est d'ailleurs vraisemblablement ce qu'était en train de se dire Flick...

A quelque tours de roues plus loin, la première dame se mit à pleurer. Prévoyant l'exposé de malheurs intéressants, Maurice fit signe à Barbara de prêter l'oreille.

Comme prévu, la seconde dame s'informa de la raison de ce chagrin. Mais, à sa voix, on devinait qu'elle était au courant de bien des choses.

La pleureuse renifla ses larmes et révéla qu'elle avait bien des tourments avec sa famille : son mari buvait, sa fille s'était mise en ménage avec un sidi, et son fils s'était inscrit au parti communiste.

La dame voisine poussa les interjections qui s'imposaient pour bien faire sentir sa supériorité de femme heureuse. Après quoi, elle aida son amie à trouver une bonne conclusion à ses catastrophes.

En définitive, l'espoir général à retenir fut celui-ci : le mari alcoolique était en train de prendre un début de cirrhose lui interdisant l'usage de tous liquides – hormis l'eau ; le sidi de la fille avait la gorge tranchée d'un coup de rasoir dans une rixe – dont ces gens-là sont friands ; quant au garçon, on l'obligeait à lire *J'ai choisi la liberté* à la faveur d'une angine ou d'une grippe. Il faisait amende honorable. La dame, qui avait des relations (côté soutane), obtenait sa réintégration au sein de l'Église. On lui faisait faire ses Pâques et le tour était joué. Ces questions réglées, on revint à la jambe articulée...

– On s'en va ? proposa Maurice. Il y a pas de seconde partie, le film recommence déjà.

Barbara prit une brassée de Flick et suivit son compagnon dans le couloir. Cinq minutes plus tard, ils arrivaient à destination.

*

– On a sonné, dit bonne-maman.

Zizi alla ouvrir, espérant que ce serait le shérif de l'opuscule qu'il lisait, venu pour lui demander s'il avait aperçu Petite-tête-de-Condor, le redoutable chef de la tribu des Eggs-and-Bacon, lequel dévastait la région depuis Poissy jusqu'à Elizabethville.

A sa profonde surprise, il se trouva, en pleine pampa, nez à nez avec Barbara, un jeune homme à moustaches et un animal imprécis.

– Bonjour, Zizi, fit gaiement Barbara. Ton papa est là?

De la fenêtre de sa chambre, Jango aperçut les arrivants. La présence de Maurice l'inquiéta et lui fut pénible. Il abandonna le colonel et descendit quatre à quatre plus une les marches au nombre de vingt-neuf. La salle à manger était déserte; bonne-maman, peureuse comme une belette, s'était cachée dans sa cuisine en voyant arriver du beau monde.

– Entrez! dit Jango.

Il goba un baiser machinal sur la bouche de Barbara et serra la main fluide de Maurice.

– Bonjour, c'est gentil d'être venus. Il ajouta malicieusement en se tournant vers le jeune homme: Vous avez encore de la famille qui vous encombre?

– Sans blague! Dis donc, Barbara, il en a de l'esprit, ton copain. Tu m'avais caché ça.

– Oh, ça suffit, s'écria la jeune femme, on n'est pas venu ici pour se tirer la bourre…

Ils choisirent chacun un siège. Jango s'enferma dans une réserve méprisante tandis que Maurice commençait à promener sur le mobilier un regard appuyé et narquois.

– Dites, les bonshommes, attaqua Barbara, si vous continuez à faire cette tête, j'attrape mon chien et je m'en vais.

– Ton chien, rétorqua Maurice, de la façon dont il gémit, je devine qu'il meurt d'envie d'arroser le jardin de Monsieur. Tu ferais bien de lui enlever sa laisse et de lui ouvrir la porte…

Barbara fit ce que Maurice lui conseillait. Le chien bondit au-dehors en aboyant.

– Il est content, dit Jango. C'est un chien rigolo, comme tes poissons…

– Tu es gentil, remercia Barbara.

Sur un signe du jeune homme, elle mit Jango au courant des péripéties du matin. Elle lui raconta tout, y compris les intentions malsaines de Maurice pour le cas où les policiers verseraient le cadavre de la morgue à son débit.

– On est venu te trouver, conclut-elle, en espérant que tu trouverais un moyen d'arranger les choses.

– Ça demande réflexion, fit remarquer Jango, pris au dépourvu.

– Eh bien, réfléchis!

Elle se leva:

– Veux-tu m'indiquer les toilettes? Dans ton sacré train, on prend plein de charbon sur la figure…

Jango s'apprêtait à faire un plan de son logis lorsqu'un clignement d'yeux de Barbara lui fit comprendre que l'histoire des toilettes n'était qu'un prétexte pour lui parler en particulier.

– Je vais te montrer.

Il l'entraîna dans son laboratoire.

– Tu as quelque chose à me dire?

– Ne fais pas l'enfant. Tu dois bien penser que si je l'ai fait venir ici, c'est que j'avais une idée derrière la tête…

– Quelle idée? demanda Jango.

– Je ne sais pas si tu te rends compte de la situation, mais elle est grave. Voilà un garçon qui va être arrêté d'un moment à l'autre. Salaud comme je le connais, il n'aura rien de plus pressé que de nous donner… Du reste, tu vois, il ne se gêne pas pour nous le dire…

– Et que veux-tu que j'y fasse? questionna-t-il.

– Il y a une chose très simple à faire…

Jango allait questionner davantage, lorsqu'il lut la pensée de Barbara dans ses yeux.

Il eut un sursaut.

– Non! s'écria-t-il.

Elle fut effrayée par son cri et lui mit la main sur la bouche. Jango dégagea ses lèvres doucement en tournant la tête à droite et à gauche.

– Tu es folle, gémit-il.

– Nous n'avons pas le choix. Tu l'envoies rejoindre son oncle et tout rentre dans l'ordre. Les flics supposeront qu'il s'est enfui.

– Mais c'est qu'elle me prend pour un assassin! s'exclama Jango.

Un début de colère le faisait trembler. Il réussit pourtant à se calmer, mais son excitation courait encore sous sa peau. Il paraissait très fatigué, sa tension artistique de la matinée pesait sur ses épaules et Barbara constata qu'il avait sous les yeux autant de poches qu'un pantalon américain.

– Tu n'es pas malade? s'inquiéta-t-elle.

– Oh, Barbara! Barbara… Comment as-tu pu avoir une idée pareille? Que je… C'était pour plaisanter, n'est-ce pas?

La jeune femme comprit qu'elle ne parviendrait jamais à fléchir Jango.

– C'est dommage, soupira-t-elle. Ç'aurait été la solution idéale.

Elle sortit son poudrier et entreprit les réparations annoncées devant Maurice.

– Va le rejoindre, dit-elle à Jango.

*

Maurice n'avait pas bougé de sa chaise.

– Ça y est, demanda-t-il, vous avez mis un coup d'arnaque au point, tous les deux ?

Jango secoua la tête.

– Ne dites pas de bêtises…

– Avez-vous trouvé la fameuse solution que Barbara me promet depuis Paris ?

Jango ignora la question.

– Vous raisonnez comme un jeune cul-cul, mon garçon. Le mieux que vous ayez à faire, si la police vous interroge à nouveau, c'est de dire la vérité au sujet de votre voyage à Versailles.

– Pardine ! Et cinq minutes plus tard, je serai obligé de lever les deux mains pour me gratter le nez parce que j'aurai une gentille paire de menottes à mes poignets. Je vous vois venir… Vous vous dites qu'une fois sérieusement inculpé mes accusations tomberont à plat.

Barbara entra, la bouche neuve. Elle retourna s'asseoir à la place qu'elle occupait avant de sortir et ne dit rien. Elle avait pris son parti de la situation et s'appliquait à sécréter de l'indifférence.

– Sais-tu quel est le conseil que me donne ton copain le tueur? fit Maurice à Barbara.

Non, Barbara ne savait pas. Elle ne désirait pas le savoir, du moins son geste l'indiquait.

– Il veut que j'aille prendre les bourres par le bras et que je leur dise que j'étais à Versailles hier matin. Pas folle la guêpe, hein?

Jango fit craquer ses jointures, ce qui était un signe d'énervement. Les craquements furent si sonores que bonne-maman les entendit depuis sa cuisine.

– Si vous ne jacassiez pas comme une petite fille, j'essaierais d'aller au bout de mon raisonnement, s'impatienta Jango. Ne prenez pas la police pour plus bête qu'elle n'est. Votre alibi sera décortiqué avec soin. S'ils s'aperçoivent que vous l'avez truquée, alors vous pourrez redouter le pire. Tandis qu'avec de la franchise vous serez à couvert. Il ne faut pas perdre de vue que le cadavre qu'on vous reproche n'est pas le bon. Tôt ou tard, pour peu que votre avocat insiste sur ce point, le défunt de la morgue reviendra à sa famille. Alors vous serez complètement innocenté. Mais si vous mettez les policiers au courant de notre affaire, vous êtes perdu.

Maurice essaya de protester. Jango ne lui en laissa pas le temps.

– Je dis «perdu»! Car vous avouez avoir trempé dans la disparition de M. le Colonel. Barbara et moi aurons beau jeu de nous disculper, puisqu'il n'y aura pas d'autres charges contre nous que votre parole. Parole douteuse d'un individu qui aura trompé ou essayé de tromper la police déjà une fois avec un alibi fantaisiste. Vous me comprenez? Et si on découvre alors que vous n'avez pas tué dans le train de Versailles, on vous conservera néanmoins puisque vous aurez reconnu être mêlé à une histoire de meurtre. Vu?

Barbara était sortie de son attitude lointaine sur la pointe des pieds. Elle applaudit.

Maurice, fortement ébranlé, baissait la tête.

– Enfin, termina Jango, nous parlons comme si vous étiez sous le coup d'un mandat d'amener. Dieu merci, il n'en est pas question.

Comme il achevait ces mots réconfortants, le bruit d'une chasse à courre arriva du jardin.

Ils se précipitèrent au-dehors. Ils arrivèrent à temps pour assister à une scène curieuse : le chien de Barbara, un train mécanique attaché à la queue, courait après un lapin blanc en aboyant, cependant que Zizi encourageait poursuivant et poursuivi, sans aucun chauvinisme, par des cris d'Indien.

Le jardin étant exigu, le lapin ne pouvait, comme il le souhaitait, donner un aperçu de sa vélocité. Il bondissait d'un mur à l'autre pour échapper au col d'astrakan qui le pourchassait. Par ailleurs, Flick voyait son ardeur diminuée par le convoi dont Zizi lui avait confié la traction. Il résolut de se débarrasser du train pour pouvoir se consacrer totalement au lapin.

S'étant arrêté afin de sectionner avec les dents la corde fixée à sa queue, il eut la surprise de recevoir le lapin dans les pattes. Flick, qui n'était pas chien de chasse, courait jusqu'ici après le lapin par pure gaminerie, sans nourrir de mauvaises intentions. Il se promettait simplement de le bousculer du museau pour l'effrayer. Mais cette maladresse de la bestiole le surprit au point qu'il la mordit assez grièvement à l'épaule. Le lapin se coucha sur le flanc comme une embarcation quand la mer se retire, en poussant des cris aigus.

Cet hallali s'étant déroulé en quelques secondes, les spectateurs n'avaient pas eu le temps d'intervenir. Lorsqu'ils se décidèrent, ce fut pour noyer des cendres et appliquer des sanctions.

– Maurice gifla Zizi, Jango porta le lapin à sa

mère afin qu'elle le soignât, Barbara débarrassa Flick de son train mécanique.

L'ordre revenu, on commenta l'incident. Jango raconta la fugue du lapin (sans préciser à la faveur de quelle circonstance elle s'était produite). Flick fut sacré chien de flair et Zizi le roi des polissons. Jango offrit des liqueurs et l'entrevue fut abrégée.

*

Après le départ des visiteurs, bonne-maman sortit de sa cuisine en tenant le lapin dans ses bras. Elle avait pansé la pauvre bête de son mieux, mais elle nourrissait de funestes pressentiments et doutait de sa guérison.

– C'était pour du travail? demanda-t-elle.

Jango haussa les épaules.

– Assieds-toi, je vais tout t'expliquer…

Il ne cacha rien à sa mère. Il lui relata la conversation privée qu'il avait eue avec Barbara. Bonne-maman l'écouta sans l'interrompre.

Quand il se tut, elle tira sur les poils de sa verrue en plissant les yeux.

– Bien sûr, finit-elle par dire, je comprends l'idée de Barbara : c'était s'éviter bien des tourments, bien des dangers, peut-être même bien du malheur… Tu as un fils, ne l'oublie pas ; s'il t'arrivait quelque chose, que deviendrait Zizi ? Je suis vieille…

– Tais-toi, supplia Jango.

La vieille femme fut charmée de voir ses jérémiades prises au sérieux.

– Il faut bien dire les choses telles qu'elles sont, mon pauvre garçon. Sans toi pour l'élever, le petit irait à l'Assistance…

Elle brossa complaisamment un noir tableau de cette institution. Elle évoqua en détail un Zizi mal nourri, pâlichon, guetté par la tuberculose. Il prenait de coupables habitudes parce qu'il se trouvait en mauvaise compagnie. Il se touchait, jurait, pensait aux filles avant l'heure. A quinze ans, on le plaçait chez une mégère qui le rouait vif. Il se sauvait, rencontrait des voyous qui lui enseignaient l'art délicat de vider les poches d'autrui. A vingt ans, il commettait son premier assassinat. On l'arrêtait…

Parvenue à ce point culminant, elle hésita ; elle ne savait plus si on le guillotinait ou bien si on l'envoyait au bagne où un crocodile le savourait au cours d'une évasion manquée. De toute façon, la fin de Zizi était extrêmement pessimiste et tous deux éclatèrent en sanglots.

Ils appelèrent le gamin, l'embrassèrent à l'user, lui pardonnèrent la farce du train mécanique et la chasse à courre. Bonne-maman promit un flan à la vanille pour le repas du soir et Jango une sucette à l'anis pour un futur immédiat.

Zizi ignorait les raisons de cette brusque amnistie, mais il s'en montrait satisfait. Voulant mériter les largesses familiales, il donna une version personnelle du drame. Au fond, tout s'expliquait avec le maximum de simplicité :

Ayant retrouvé la piste de Petite-Tête-de-Condor grâce à l'odorat de Flick, il avait lancé sur ses traces la police montée de Texas City. Pour gagner du temps, il avait embarqué la troupe dans un train spécial... Ses hommes tenaient presque le cruel chef des Eggs-and-Bacon lorsque Flick avait, sans crier gare, abandonné sa piste pour celle du lapin blanc.

Bonne-maman déclara qu'avant de molester Zizi on aurait dû penser à ça. Jango reconnut le bien-fondé de cette remarque et fit amende honorable.

Zizi laissa éclater son antipathie pour Maurice dont il avait reçu deux soufflets. Bonne-maman cria au meurtre en apprenant ces voies de fait. Elle ordonna au petit d'aller jouer et, tandis qu'il s'éloignait, fixa sur Jango un regard éloquent. Elle dit que ceux qui battaient les enfants ne méritaient pas de vivre.

Jango comprit que sa mère lui adressait de la sorte un véhément reproche.

– Enfin, quoi, gémit-il, je ne suis pas un assassin. Je ne pouvais pas tuer ce garçon de sang-froid !

Bonne-maman ne répondit rien, mais on sentait qu'elle avait un gros poids de pensées en tête.

– Espérons que tout s'arrangera, soupira la vieille femme.

Elle quitta la pièce sur ces mots lourds d'inquiétude.

Jango pensa de justesse au rendez-vous que lui avait donné la boulangère. Il annonça qu'il allait respirer le soir le long de la Seine et descendit au fleuve en réfléchissant.

*

Il était surpris par les avanies qui, depuis deux jours, troublaient sa vie jusque-là si limpide.

Il récapitula ses sujets de mécontentement : il y avait avant tout cette menace causée par le cadavre de la morgue, puis cette transformation qui s'opérait sur son visage chaque fois qu'il ornait son revers de la Légion d'honneur du colonel. Il y avait aussi la ressemblance de son tableau avec l'ancien militaire ; elle le tourmentait plus qu'il ne se l'avouait. Enfin, le lapin blessé ajoutait son sang innocent d'herbivore à ce faisceau de graves contrariétés.

Jango sentait que l'exécution du colonel inaugurait une ère maléfique. Qui sait même si elle ne la provoquait pas ?

Tout en soupesant ces déprimantes réflexions, il était parvenu à l'écluse. Une péniche de ciment et un yacht anglais changeaient de niveau. Ce spectacle intéressa Jango. Il aimait les bateaux et rêvait de descendre jusqu'à Rouen avec l'un d'eux.

Les mariniers et les yachtmen attendaient patiemment d'être hissés au cours supérieur de la Seine. Les premiers menaient leur existence paisiblement, sans se préoccuper du mouvant décor ni des spectateurs ; les seconds regardaient tout par acquit de conscience, mais s'ennuyaient ferme.

– Hou, hou !

Une écharpe rouge s'agitait dans le bosquet de trembles. Jango aperçut la boulangère.

– Comme ça se trouve ! dit-elle avec un sourire idiot.

Il s'approcha d'elle et essaya de lui cacher sa mélancolie et son manque d'enthousiasme.

– A propos, vous savez que mon prénom c'est
Édith?

Il reconnut que c'était très élégant et très bien
porté.

Furtivement, il jetait des coups d'œil derrière
lui pour se rendre compte si les éclusiers pou-
vaient les voir. Il ne vit personne sur le quai de
pierre. Les deux hommes étaient allés boire
avec le patron de la péniche pendant que
l'écluse se remplissait lentement.

– Alors, demanda Édith, cette peinture?

Jango fit un effort pour exprimer sa reconnaissance.

– C'est un plaisir de travailler avec les couleurs que vous m'avez données.

– Bien vrai? Vous avez peint quoi?

– Un portrait.

– Oh, s'exclama la boulangère, il est portraitiste...

Jango pensa qu'en effet il était portraitiste
depuis trois heures de l'après-midi; il en fut
tout ragaillardi.

Il passa son bras à la taille de sa compagne.
La femme possédait des hanches confortables
sur lesquelles la main se complaisait.

– C'est le portrait de qui que vous avez fait?

– De personne. Enfin, je veux dire: de quelqu'un qui n'existe plus.

– Vous pouvez peindre de mémoire? Mais c'est formidable!... Et pour la ressemblance?

– Elle y est, affirma Jango.

Il se dit que son assurance pouvait passer pour de la vanité.

– C'est dommage que mon sujet soit mort, sans cela vous auriez pu comparer...

La boulangère dit qu'elle regrettait; et est-ce que c'était quelqu'un de votre famille? Non? Ah, tant mieux! Un homme ou une femme? Un homme! Et de quoi qu'il était mort? Subitement? C'est triste de mourir subitement. De mourir doucement aussi, d'ailleurs. La mort, c'est jamais bien drôle, n'est-ce pas? Rien que d'y penser, ça lui faisait taper le cœur... Sérieusement! Jango pouvait toucher! Mettez votre main là! Ah, ah! Qu'est-ce qu'elle lui disait? Non, elle n'était pas cardiaque... Ça venait des nerfs... Chaque fois qu'elle était émue, son cœur s'emballait.

Jango oublia d'écouter la suite et de retirer la main. Pendant que sa compagne jacassait, il réfléchissait pour son compte; et comme réfléchir vous laisse l'usage de vos mains, il se servait des siennes pour palper les seins fermes et copieux de la boulangère.

Ils marchèrent jusqu'à l'obscurité, en tournant en rond pour ne pas sortir du bois.

Jango pensait à son travail du lendemain. En honnête homme, il était préoccupé par la bonne exécution de la besogne. Il faudrait qu'il prépare son matériel et ses arguments, qu'il change l'aiguille de la seringue car elle était un peu tordue. Qui sait si ce simple détail n'expliquait pas les hésitations du colonel?... Il avait promis au petit homme plus-large-que-haut que son épouse serait expédiée en douceur et il entendait bien tenir parole.

Édith s'interrompit et regarda Jango d'un air surpris :

– Ça ne va pas? Vous semblez tout chose.

Une inquiétude égoïste perçait dans sa voix. En forte gaillarde, douée d'un solide appétit, elle redoutait que les instants d'isolement tournassent à la rêverie. Si elle exigeait de l'éducation de ses partenaires, du moins attendait-elle d'eux des qualités physiques en rapport.

Les baisers échangés avec Jango, le matin, lui avaient paru de bon augure. Elle se mit à le surveiller en coin et son bavardage décrut considérablement.

Jango s'aperçut du changement d'attitude de sa compagne. Il en devina aisément la cause.

– Si on s'asseyait? proposa-t-il.

Elle refusa.

– Je serai correct, promit-il.

– C'est pas pour ça... C'est à cause de la rosée...

Il l'embrassa dans le cou. Elle poussa un petit gloussement de femme chatouillée et, dans le noir, chercha sa bouche de tout son mufle. Leur baiser se prolongea. Jango se demandait comment elle s'y prenait pour respirer.

Désireux de conclure le rendez-vous galant, il adossa la brune ardente à un arbre et s'attaqua à l'honneur du boulanger.

A cet instant, une sonnerie de cor tomba des coteaux bordant la rive de la Seine.

– C'est mon mari qui s'exerce, murmura Édith d'une voix déjà faible.

La martiale musique communiqua à Jango l'ardeur qui lui manquait.

Il remercia mentalement la providence de le soutenir par de vaillantes et altières sonorités dans un moment somme toute difficile, et embrocha gaillardement sa partenaire contre l'arbre sur un rythme cadencé par le cor de chasse du malheureux boulanger.

CHAPITRE VII

Allons bon, grogna Maurice, c'est le bouquet!

Un régiment de chasseurs alpins venait de déboucher du carrefour Strasbourg-Saint-Denis, musique en tête, et s'apprêtait à tourner sur la droite pour descendre les boulevards. Les bruits de la circulation avaient dérobé le roulement des tambours. Au moment où les soldats apparurent, les musiciens se préparaient à emboucher leurs instruments. Il se produisit une belle envolée de cuivres et de gants blancs. Maurice essaya de se jeter sous un porche, mais c'était déjà trop tard : une marche fringante éclatait à dix pas de lui. Il se contracta et s'engouffra dans un urinoir.

Le neveu du défunt colonel était, comme beaucoup de jeunes gens aujourd'hui, antimilitariste. Il affectait de nourrir une haine solide pour tout bipède portant un uniforme et témoignait un égal mépris aux soldats – il avait été exempté pour insuffisance thoracique –, aux agents de police, aux pompiers et aux employés du gaz. Il ne faisait d'exception qu'en faveur des facteurs, lesquels sont des fonctionnaires jouissant en général d'un bon caractère et ne tirant aucun orgueil de l'uniforme qu'ils portent avec beaucoup de laisser-aller.

Maurice exagérait les marques extérieures de son prétendu antimilitarisme pour dissimuler à ses contemporains la profonde envie qu'il avait d'être vêtu en officier de spahis, en parachutiste, en enseigne de vaisseau, voire, à l'extrême rigueur, en garde mobile. Une sonnerie de clairon lui contractait les mâchoires, une musique militaire le galvanisait et *La Marseillaise* le faisait fondre en larmes. Ces signes voyants d'émotion étaient très difficiles à dissimuler, c'est pourquoi, ce matin-là, Maurice n'avait pas trouvé d'autre secours que cet urinoir.

Pendant que le régiment défilait, le jeune homme marcha au pas en tournant en rond dans les vespasiennes. Tout le temps que dura la musique, il imagina : qu'il enlevait un fortin à la tête d'une poignée d'hommes, qu'il était volontaire pour actionner une torpille humaine, qu'à l'aide d'un avion à réaction il détruisait un corps d'armée ennemi, que les Allemands le fusillaient sur la place de l'Opéra et défilaient devant sa dépouille en lui présentant les armes en présence des Parisiens fous de douleur... La musique cessa inopportunément au moment où le président de la République s'apprêtait à épingler sur sa poitrine toutes les décorations existant en France, plus certaines étrangères envoyées par des chefs d'État à son intention.

*

Après le passage des chasseurs alpins, il sembla à Maurice que Paris était devenu désert. Ses pensées pessimistes l'assaillirent plus durement. Il monta dans un autobus qui le déposa à La Cité. Onze heures sonnaient. Le régiment l'avait retardé. Le juge d'instruction l'avait convoqué pour dix heures et demie ; le jeune homme pensa que ce retard mécontenterait peut-être le magistrat, mais l'inciterait à croire à son innocence, un coupable devant nécessairement respecter l'heure de ses convocations. Il passa devant le Palais de justice et se hâta jusqu'au bureau du juge.

Celui-ci le reçut fort bien. Maurice se sentit en confiance et l'appareil judiciaire lui sembla moins rébarbatif qu'il ne se l'était imaginé. Le juge Pompard était un homme sans âge précis, plus large que haut, et il tenait en équilibre sur ses épaules une tête de tirelire.

– Asseyez-vous, proposa-t-il. Voyons, il s'agit de l'affaire Borrel. Vous êtes le neveu de la victime ?

– Non, fit calmement le jeune homme.

– Comment ! s'exclama le juge. Mais alors, il y a erreur… Vous n'êtes pas Maurice Borrel ?

– Si, mais je ne suis pas le neveu de la victime dont vous parlez. Je l'ai déjà dit aux deux inspecteurs : le cadavre de la morgue n'est pas celui de mon oncle. Un instant je l'ai cru, mais j'ai vite compris mon erreur.

– Sur quoi vous basez-vous pour affirmer cela ?

Maurice haussa les épaules.

– Monsieur le juge, je vais vous parler très librement : je vois à votre alliance que vous êtes marié…

Le juge se mit à rougir et toussota.

– Bon. Imaginez alors, poursuivit Maurice, que votre femme disparaisse (le juge baissa la tête). Elle disparaît et, le lendemain, on vous met en présence d'un cadavre. Ce cadavre ressemble à votre femme ; comme vous ne l'avez jamais vue morte, vous vous dites : c'est elle ! Et puis votre intelligence prend le pas sur l'émotion, vous examinez, vous réfléchissez et, convaincu de votre erreur, vous dites : je me suis trompé, ce n'est pas elle. N'est-ce pas ?...

Le juge Pompard ne répondit pas ; les coudes sur son bureau, il soutenait de ses deux mains sa tête-tirelire. L'exemple choisi par le jeune homme le troublait. Du coin de l'œil, il surveillait son greffier : un jeune type triste à figure de masturbé encéphalique.

— N'inscrivez pas ça ! ordonna-t-il d'un léger mouvement.

Ses petits yeux humides s'étaient soudain emplis de tristesse.

— Il y a une question à éclaircir, dit-il avec lassitude ; c'est celle de votre alibi.

— Parlons-en ! s'écria Maurice avec fougue. Je suis allé à Versailles avant-hier matin, d'accord. Mais je n'y suis pas allé avec mon oncle...

— On vous a vu en compagnie d'un monsieur âgé...

— C'était un enquiquineur d'Anglais qui ne me lâchait pas...

— Il n'y a que vous, hélas, pour l'affirmer...

— Alors, j'aurais tué mon oncle au retour ?

— Si c'est vous qui l'avez tué, oui.

Maurice se tordit les mains comme il l'avait vu faire au cinéma.

— Monsieur le juge, je vous donne ma parole...

D'un geste, le magistrat-plus-large-que-haut laissa entendre que la parole d'un suspect n'avait jamais empêché ledit suspect d'être éveillé à quatre heures du matin par des messieurs frileux habillés en noir.

– ... que le défunt de la morgue n'est pas mon oncle, acheva Maurice. Je suis victime d'une effroyable ressemblance, d'une monstrueuse coïncidence. Je vous prie, au nom de la Justice française...

Le greffier encéphalique eut un tressaillement patriotique qui s'acheva par un picotis dans le fondement ; ses doigts blanchissaient sur son porte-plume.

– ... au nom des libertés sacrées...

La sonnerie du téléphone l'interrompit, comme le fameux roulement de tambour avait interrompu Louis XVI.

– Allô ! miaula le greffier.

Une voix de femme, qui ressemblait au bruit d'un jeu de cartes brassé, demanda à parler au juge.

Le petit juge aux fesses en gouttes d'huile tendit la main vers l'écouteur.

– Allô ! fit madame Pompard. C'est toi, Armand ? Rentres-tu déjeuner ?

– Mais, balbutia le juge, je croyais que tu prenais le train de midi quarante pour aller visiter le pavillon...

– J'ai réfléchi, je prendrai celui de trois heures...

– C'est ennuyeux, dit Pompard, ces gens t'attendent pour deux heures de l'après-midi, tu ne seras pas chez eux avant quatre heures.

– Ne t'inquiète pas, trancha la dame, mon amie Rose, qui avait une course à faire à Poissy, poussera une pointe jusque là-bas ce matin. Elle visitera les lieux et m'excusera pour mon retard de tantôt.

– Bonté divine! cria le juge-à-tête-de-tirelire.

– Quoi?

– Rien...

Il raccrocha bien que le battement des cartes se fût poursuivi dans l'appareil. Toute couleur s'était évanouie de la tirelire. Ce n'était plus qu'une tirelire de plâtre blanc.

– Quelque chose qui ne va pas, Monsieur le juge? S'inquiéta le greffier encéphalique.

Le juge Pompard ne parut pas avoir entendu.

Soudain, il se rendit compte du regard attentif de Maurice.

– Vous pouvez disposer, lui dit-il, l'enquête se poursuit.

Le neveu vénéneux quitta la pièce de bon

cœur. Lorsqu'il fut parti, Pompard se tourna vers son greffier.

– Laissez-moi, mon bon Basanne…

Il se leva, ferma son bureau à clef et redécrocha le téléphone.

*

Bonne-maman et Zizi étant aux provisions, ce fut Jango qui répondit au coup de sonnette. Il ouvrit la porte à une femme en tailleur, aux cheveux coupés à la garçonne.

– Je viens au sujet de l'appartement à louer.

– L'appartement? Ah oui… Entrez, madame.

Cette visite, qu'il attendait pour l'après-midi, contraria Jango. Il se félicita d'avoir préparé son «nécessaire» la veille.

– Ici, c'est le jardin…

Il entraîna la visiteuse dans le pavillon et lui fit visiter consciencieusement, comme si, en vérité, il avait été résolu à louer la propriété.

L'exploration s'acheva par le laboratoire. En y entrant, la femme poussa un cri.

– Qu'y a-t-il? demanda Jango inquiet.

– Ce tableau! fit la visiteuse en désignant la toile de Jango.

Il crut qu'elle reconnaissait le personnage et chercha ardemment des prétextes.

132

– Oui, dit Jango, c'est un tableau…

– Magnifique !

– Vous trouvez ?

Elle eut un gloussement pâmé ; elle se recula et mit sa main en lorgnette pour ne le regarder que d'un œil.

– Formidable ! C'est étonnant !

Jango fit comme elle.

– C'est beau, oui, dit-il d'une voix plus mesurée.

– Il y a quelque chose de Vlaminck…

– Ça n'est pas impossible, admit le néo-peintre.

– … et de Renoir.

– De Renoir aussi, convint Jango.

– Quelle densité !

– N'est-ce pas ?

– C'est… c'est…

– Étonnant ? proposa Jango qui commençait à se familiariser avec le vocabulaire du critique d'art.

– Étonnant ! Voilà le mot juste…

– Oh, ces valeurs ! gloussa la dame comme pour témoigner d'un orgasme.

– C'est pas ce qui manque, reconnut Jango.

– Voulez-vous que je vous dise ? Ces bleus ce sont des bleus…

– De Prusse ?

– Non, de Cézanne.

Croyant qu'il s'agissait d'un nom de couleur, Jango hocha la tête d'un air de doute.

– Je ne crois pas, dit-il. Il faudra que je vérifie sur mes tubes.

– Sur «vos» tubes? C'est vous qui avez peint ça?

– C'est moi.

Elle le regarda avec cette admiration craintive qu'on porte aux authentiques génies.

– Vous pensez à exposer?

– Bien sûr, mais je n'ai encore peint que ça, et vous voyez, c'est pas des plus sec.

Elle ouvrit son sac à main, en retira une carte de visite et un stylo. Rapidement, elle traça quelques mots sur le bristol et le déposa sur le bureau de Jango.

– Voici ma carte, dit-elle, avec quelques lignes d'introduction pour mon ami Pichaud qui dirige une galerie rue Bonaparte. Je crois que vous avez intérêt à lui montrer vos œuvres.

Jango remercia. Il s'empara discrètement de la seringue et invita la femme en tailleur à l'accompagner jusqu'à l'appentis. Il avait calculé qu'en la «traitant» devant la cuve d'acide, il s'éviterait la corvée du transport. Elle le suivit tout en lui prédisant un bel avenir.

– Je peins aussi, dit-elle. Ce que je fais n'est

même pas mauvais. Mais les femmes ne percent pas... Surtout, ne me parlez pas de Valadon !

Jango fit signe qu'il s'en garderait bien.

– Ma peinture est abstraite. Pichaud m'en dit grand bien... Il m'assure que j'ai un avenir épatant devant moi...

– Mais certainement, répondit machinalement Jango cependant qu'il enfonçait sa seringue dans la nuque de sa visiteuse.

Il achevait de tout remettre en ordre lorsque le téléphone tinta.

– Allô ! Monsieur Jango ?

– Lui-même...

– Je suis le monsieur de l'autre jour, vous savez : l'ami de M. Séraphin, « Bière et limonade » !...

– Vous tombez à pic, certifia Jango. L'opération vient de se terminer. Tout s'est très bien passé...

A l'autre bout du fil, il y eut un gémissement.

– Malheureux ! bredouilla le juge Pompard.

– Qu'y a-t-il ?

– Ce n'était pas ma femme, mais une de ses amies. Ma femme n'ira chez vous qu'au milieu de l'après-midi...

Jango ressentit un pincement à la nuque :

– C'est ennuyeux...

– Très, dit le juge-à-tête-de-tirelire. Ça peut avoir des conséquences…

– Alors, pour tantôt, qu'est-ce que nous décidons ?

– Il vaudrait peut-être mieux surseoir…

– Si c'est votre idée…

Le juge hésita entre la prudence et le bœuf braisé.

– Oh ! Et puis après tout, pendant que vous y êtes…

Il pensa tout à coup que le prix du travail serait doublé. Ce détail l'inquiéta, car dans la magistrature, on est moins bien payé que beaucoup de gens le supposent.

– Et pour… pour les conditions ?

– Pas de changement, rassura Jango. Je vous passe les deux pour le même prix ; tout le monde peut se tromper, pas vrai ?

*

Il ne parla de rien à bonne-maman, pour ne pas l'inquiéter. Cette nouvelle épreuve le laissa songeur. Il sentait peser sur sa tête un horoscope falsifié et capricieux.

Une fois de plus, il se demanda si le colonel n'avait pas la rancune tenace. Il le devinait aux aguets dans un purgatoire ombreux où il pouvait à loisir mettre au point des tracasseries raffinées.

Pour passer le temps en attendant sa seconde cliente, Jango renouvela le pansement du lapin. La plaie était très laide. Il manquait à l'herbivore un appréciable morceau de peau. Les chairs ne se refermaient pas ; le lapin était abattu et Jango croyait voir passer dans ses yeux fiévreux des espoirs de pénicilline.

– Tu devrais le tuer, décida bonne-maman.

– Je n'en aurais pas le courage.

Jango regarda tristement sa mère qui s'acharnait depuis deux jours à vouloir lui faire tuer des gens et des bêtes.

– Ce lapin, on l'a élevé au biberon, m'man. On avait décidé de ne jamais le manger…

– Je sais bien, soupira la vieille femme, mais on ne pouvait pas prévoir ; comme disait ton pauvre père : l'homme propose…

Zizi éclata en sanglots. Cela fit beaucoup de bruit.

– Ne pleure pas, dit Jango, peut-être qu'il guérira.

– Si on lui donnait de l'aspirine ? suggéra le gosse.

– Dans du lait, fit bonne-maman, des fois que ça lui couperait sa fièvre…

Jango ne voulut pas se prononcer et laissa à

sa mère la responsabilité de la thérapeutique. Il alla au jardin. Ses œillets se fanaient avant d'avoir éclos et leurs tiges tournaient en foin. Les abricots tombaient de l'arbre à peine formés. Maintenant qu'il avait compris que le colonel le poursuivait, depuis l'Au-delà, de sa vindicte, il découvrait à chaque pas des signes hostiles.

Il chercha un moyen de lutter contre cette coalition sournoise. Il se dit que les difficultés, les ennuis qui surgissaient ne l'affectaient que parce qu'il était un faible : alors il se sentit faible... Faible comme le type qui s'est ouvert les veines dans son bain. Faible comme un sca-phandrier. Faible comme un brave homme... Voilà ! Il était trop bon garçon. Jango plongea jusqu'au fond de son âme tapissée de pensées roses, comme l'aquarium de Barbara l'était de riches graviers. Il se vit tout nu dans sa bonté, comme un chou. (Hibou, caillou, joujou, genou – et pou qu'il oubliait toujours.) Il man-quait de vices.

Pour s'aguerrir, il devait tâter un peu de la bassesse, connaître l'indifférence devant la dou-leur, s'exercer au cynisme. Dès lors, le colonel aurait bonne mine avec ses mesquineries, ses lapins blessés, ses œillets fanés...

Et s'il commençait son apprentissage sur sa prochaine victime ?

Zizi trouva son père dans l'appentis.

– P'pa, y a une dame…

– Je sais, dit Jango.

– C'est pour être tuée ou c'est pour une commande ?

– C'est pour une piqûre… Et pour une expérience, marmonna-t-il.

– Dis, p'pa !

– Quoi ?

– Après la piqûre, tu m'emmèneras promener ?

– Peut-être…

*

Jango alla prendre livraison de la femme de Pompard. C'était une garce à tête de licorne. Elle avait des yeux d'institutrice anglaise, inquisiteurs et mauvais.

– Je viens pour le pavillon, dit-elle sèchement. Mon amie a dû vous dire que je serais en retard ?

– Suivez-moi, ordonna brièvement Jango.

Il l'emmena à l'appentis, la fit entrer et ferma brusquement la porte à clé.

– Que signifie ? fit la licorne.

Jango remarqua qu'elle semblait surprise, mais non effrayée.

– Votre mari vous a mal expliqué, commença-t-il, ça n'est pas pour une location de campagne que vous êtes ici; c'est pour une disparition.

Il guetta des traces d'épouvante sur la figure de sa cliente, n'en trouva pas et fut mécontent.

Jango ne se serait jamais cru capable d'informer ses victimes du sort qui les attendait. Pourtant, il le fit ce jour-là... Avec un luxe de détails, il expliqua à la licorne que son mari voulait se consacrer à la philatélie et au bœuf braisé, et qu'il l'avait chargé, lui, Jango, de le rendre veuf moyennant finances. Il précisa qu'il allait s'y employer sur l'heure. Il montra la seringue, parla de son contenu et de ses propriétés, désigna la cuve d'acide où se dissolvaient le colonel et l'amie Rose, imita le geste qu'elle aurait en mourant, etc. Ce fut un très bon documentaire; il en rajouta même. Épuisé, les jambes flageolantes, il se tut et regarda sa victime, espérant s'approvisionner en sadisme.

La femme du juge était paisible comme une carte de bonne année. Ses yeux avaient perdu leur couleur d'acier chauffé; ils ressemblaient à des yeux de poupée candide.

– Puisque vous insistez, minauda-t-elle.

D'une voix innocente, écorchée comme si elle avait été enregistrée sur un cylindre de cire, la licorne entonna *Les Vieilles de notre pays*. Lorsqu'elle eut terminé la chanson, elle récita *Les Animaux malades de la peste*, puis, du même ton, s'apprêta à raconter *La Chèvre de monsieur Seguin*...

Jango interrompit le récit, la folie et la vie de la licorne au moyen de sa seringue.

Au moment où la petite chèvre levait les yeux sur la montagne en disant : «Comme on doit être bien, là-haut !», il planta l'aiguille dans le cou de la dame. Aussitôt, les vingt-quatre ans d'occupation du juge Pompard s'écroulèrent aux pieds de Jango. Celui-ci les remua du bout de ses pantoufles.

L'expérience avait échoué. Il crut à une nouvelle intervention occulte du colonel.

– A bas l'armée ! hurla-t-il en tendant le poing vers la cuve...

CHAPITRE VIII

– Y a pas, décida Barbara, t'es doué…

Jango regarda la toile et baissa les yeux devant l'air courroucé du colonel.

– Je ne sais pas ce qui s'est produit, avoua-t-il. Tout d'un coup, j'ai eu envie de peindre et, sans le vouloir, j'ai peint ça…

– C'est réussi.

Il délaissa son chef-d'œuvre pour l'aquarium. Il était fourbu depuis la veille ; très exactement depuis le moment où la licorne était devenue folle avant qu'il ait pu se régaler de son épouvante. Il avait brusquement compris qu'on ne peut écarter de soi la cravache vengeresse d'un colonel mort.

– Cette toile, demanda Barbara, tu vas la porter à la galerie que la bonne femme t'a indiquée, j'espère ?

– Pfft, fit Jango.

– Mais, puisqu'elle t'a donné un mot d'introduction…

Jango consulta l'Aga-Khan. Le poisson lui répondit d'un air évasif.

– C'était mon idée, c'est pour cela que je l'ai apportée avec moi à Paris, mais maintenant, j'aurais plutôt envie de la foutre au feu.

– Ne dis pas ça !

– Oh !

Son attitude l'avait amené tout au bord des confidences. Il fit part de ses craintes à Barbara.

– Tu es cinglé ! s'exclama la jeune femme. Comment veux-tu que ton colon se venge, puisqu'il est mort… Tu n'es pas superstitieux, par hasard ?

Elle étudia son ami :

– Toi, mon vieux, tu files un mauvais coton… Si tu as des idées pareilles, tu seras gâteux avant ton temps. Dans huit jours, tu pars en pèlerinage à Lourdes, dans un mois tu racontes ta vie dans le métro, et dans trois mois on t'emmène à Charenton dans une voiture capitonnée. C'est couru…

Jango envisagea ce programme. Il regarda l'Aga-Khan. Celui-ci semblait le scruter. Cet examen appliqué – jusqu'à une sorte de cruauté – le fit frissonner.

– Tu as froid ? demanda Barbara.

Jango mit la main à sa poche ; il la retira fermée.

Intéressée, Barbara attendait que la dextre de Jango éclose. Mais Jango choisissait sa minute. Un pâle sourire fondait dans ses yeux.

– Tu me dis que je me fais des idées, commença-t-il. Bon ! Admettons, je me fais des idées, je retombe en enfance ! Pourtant il y a quelque chose de pas naturel dans cette affaire.

Il ouvrit la main.

– Qu'est-ce que c'est que ça ? fit Barbara.

– Ça, c'est la rosette de la Légion d'honneur du colonel.

– Assieds-toi, proposa Barbara, car ça m'a l'air rudement fatigant à prononcer.

Malgré son ton enjoué, Jango découvrit qu'elle était émue.

– Regarde !

Il passa le ruban à sa boutonnière et son visage subit les transformations d'usage.

Barbara eut l'idée d'un rugissement, fort réussi ma foi, et qui traduisait admirablement les sentiments provoqués par la métamorphose de Jango.

– C'est grâce à la décoration que tu...

Jango battit des paupières.

– Enlève ça !

Il obéit.

– Ouf! C'est bon de te retrouver, dit Barbara, tu as fait bon voyage?

– Ne plaisante pas…

Barbara n'attendait qu'une protestation pour réintégrer son sérieux.

– Eh bien, qu'est-ce que tu dis de ça?

– J'avoue que c'est troublant…

– Ce colonel! maugréa Jango.

Barbara éplucha ses souvenirs.

– Il n'était pas mauvais bougre, pourtant, réfléchit-elle tout haut. A part sa ladrerie…

Elle se frappa le front.

– J'y pense. Peut-être qu'il est fâché que tu lui aies pris sa décoration. Tu sais, les militaires ne plaisantent pas sur ce chapitre…

– Mais bien sûr! cria Jango en faisant claquer ses doigts. Il m'en veut à cause de sa rosette, le pauvre. Va savoir si elle ne lui est pas nécessaire pour entrer au Paradis? Tu ris?…

– Là, tu vas un peu fort…

– Sait-on jamais!

Barbara dit qu'après tout la chose méritait réflexion.

– Seulement, dit Jango, le *hic* est que je ne peux plus la lui remettre…

– Aïe!

– Tu as une idée?

– Non, mais je vais y réfléchir…

145

Jango se sentait tout revigoré d'avoir enfin trouvé la source du mal

– On mange ensemble ? proposa-t-il.

– Je ne peux pas, s'excusa Barbara, j'ai mon notaire de Fontainebleau…

Jango dit qu'il regrettait. Il ajouta qu'au fond, ça n'avait pas grande importance, car il avait un rendez-vous aux premières heures de l'après-midi.

– D'amour ? questionna Barbara.

– Oui.

De saisissement, elle se répandit sur le canapé.

– D'amour ?

– Mais oui, d'amour ! déclara Jango, froissé par tant d'incrédulité.

Il se confia et parla de sa boulangère. Il lui avait donné rendez-vous à Paris pour tenter une nouvelle expérience : il voulait faire l'amour avec elle sous son aspect de chevalier (fictif) de la Légion d'honneur. Et ce, sans prévenir Édith.

– Tu comprends, expliqua-t-il, je vais aller au rendez-vous avec la rosette, elle ne me reconnaîtra pas. Je dirai que je viens de ma part pour m'excuser, que je suis un de mes amis…

– Attends, je m'y perds… Ah oui ! Et alors ? demanda Barbara, émoustillée.

– C'est une femme très portée sur la chose ; je lui ferai du boniment et j'espère pouvoir l'emmener à l'hôtel. Ce sera marrant… Après, j'enlèverai la rosette. Tu parles d'une tête qu'elle fera…

Barbara trouva qu'en effet ce serait une très bonne farce. Elle souriait du bout des dents, sans appétit. Un peu de jalousie lui faisait mal. Elle était jalouse de la boulangère…

Flick, qui somnolait sur le canapé, s'éveilla. Il vint saluer Jango et s'assit au milieu du salon. Soudain, il se mit à gémir.

– Tu devrais l'emmener promener, conseilla Jango, lequel se méprenait sur le motif de ces plaintes.

– Mais non, dit Barbara, il en vient.

Flick cessa ses plaintes et se mit à hurler.

– Il est peut-être malade ?

Barbara observa le manège du chien.

– C'est curieux, dit-elle, on dirait que ton tableau lui fait peur. Il n'ose pas le regarder.

– Par exemple !

Pour en avoir le cœur net, ils portèrent la peinture dans la chambre à coucher de Barbara. Aussitôt, Flick redevint joyeux comme un jeune chien.

– Tu vois que je ne me trompais pas…

– C'est de la peinture maudite, balbutia Jango.

– Tu devrais la montrer au directeur de la galerie. Tu verrais bien ce qu'il te dirait. De la peinture qui fait hurler les chiens, ça ne se trouve pas tous les jours.

– Ce tableau me sort par les yeux. Tu crois qu'il ferait plaisir à Maurice?

Barbara éclata de rire.

– Maurice! Il t'a refilé cinquante billets pour ne plus le voir, son oncle, et tu voudrais lui donner ce portrait? Il n'y a vraiment que toi pour avoir des idées pareilles.

Elle s'assit aux côtés de Jango.

– Tu es un type trop bon.

– Je sais bien, reconnut Jango sur un ton d'excuse.

– Tu es bon et ça t'embête…

– C'est pas de ma faute, geignit Jango. Je suis bon sans le vouloir. Bon et bête, comme dit ma mère, ça commence par la même lettre. Ainsi, cette peinture: dans mon esprit, elle devrait faire plaisir à Maurice bien qu'il ait pour ainsi dire tué son oncle…

Barbara hocha la tête d'un air de doute.

– Moi, reprit Jango, si je tuais quelqu'un – il eut un rire pour souligner la gratuité de cette supposition –, quelqu'un même de ma famille, je serais content d'avoir son portrait.

– Tu es un être à part.

– Je ne sais pas si je suis à part, mais voilà comme je suis. Toute ma vie est dominée par ma sensibilité. Dans un sens, je ne le regrette pas ; la tranquillité de l'âme, c'est une bonne chose.

Barbara revint à la peinture.

– Ton tableau, je le sens, c'est un truc pas ordinaire. Puisque tu ne veux pas t'en occuper, eh bien, laisse-le-moi, ainsi que le mot de la femme, et j'irai le porter cet après-midi à la galerie.

– Si tu y tiens tellement…

– J'y tiens, dit résolument Barbara. Dès que mon notaire sera parti, je filerai rue Bonaparte. Je laisserai Flick à ma concierge. J'aurais l'air maligne s'il se mettait à hurler dans la galerie…

*

Jango remontait les Champs-Élysées.

Des soldats canadiens les descendaient après avoir déposé quelques végétaux sur la dalle sacrée.

Jango regarda les soldats, mais les soldats ne prêtèrent pas attention à lui. Emboîtés dans un hymne, ils avançaient, les yeux victorieux et le menton offert.

Vaguement mortifié, Jango secoua la tête et s'engouffra au Prisunic. Tout Paris sonnait midi. Il descendit au restaurant et s'assit sur un des tabourets fixes du comptoir-auge en étoile. Une serveuse-infirmière-fermière s'enquit de ses désirs. Jango lut le menu, consulta son estomac et se décida pour une saucisse de Toulouse aux choux (hiboux, cailloux...).

– Et avec ça? demanda la serveuse.

Jango choisit un fromage.

– Et comme boisson?

– Du vin.

– Et avec ça?

Avec ça, Jango se restaura. Bonne et saine occupation! L'infini bovin à la portée de tous...

Son voisin de droite, qui consommait une tranche d'animal, poussa soudain comme une plainte. Jango crut qu'il s'étouffait et lui jeta un regard curieux.

– Tonnerre, fit le voisin, mais c'est ce vieux Jango!

– Par exemple! sursauta Jango. Troumane...

Quelques dîneurs, trompés par la ressemblance euphonique du nom avec celui du chef d'État, levèrent les yeux, incrédules. Ils examinèrent la possibilité d'un séjour incognito à Paris du président des U.S.A., la repoussèrent après avoir considéré l'intéressé, et se concentrèrent sur leur comestible.

– Qu'est-ce que tu deviens? interrogèrent simultanément les deux hommes.

– Ça va, répondirent-ils avec le même synchronisme.

– Et toi? ajoutèrent-ils en chœur.

Ils attendirent un peu pour se laisser la parole, puis, voyant que rien ne venait, ils conclurent d'une même voix:

– Pas mal, merci.

Ces choses à dire étant dites, ils engloutirent leurs portions afin de pouvoir se consacrer l'un à l'autre.

Jango vanta le hasard de la rencontre en attendant son camembert, Troumane renchérit tout en absorbant un fluide yaourt; ensuite de quoi, ils payèrent chacun leur orgie et partirent bras-dessus, bras-dessous.

La terrasse du Georges-V les accueillit. Ils commandèrent des cafés filtres et regardèrent sérieusement comment les années avaient travaillé leur visage. Troumane ressemblait beaucoup à une de ces photographies dont Jango se souvenait. Il était modelé dans une matière spongieuse qui, à l'examen, écœurait. Les deux amis s'étaient connus sur les bancs de la communale. Après une éclipse, ils s'étaient retrouvés au régiment. A vrai dire, ils n'éprouvaient aucune attirance l'un pour l'autre, mais chacun chérissait dans l'autre des bribes émouvantes de son passé.

– Que fais-tu ? s'informa Troumane.

Jango sourit :

– Je suis peintre.

– En bâtiment ?

– En colonel, dit Jango. Je me suis spécialisé dans le portrait d'officier.

– Hfuuuu, complimenta Troumane. Je savais pas que tu peignais…

– Il n'y a pas tellement longtemps que je travaille dans cette branche… Et toi ?

– Oh moi, je ne peins pas…

– Je veux dire : et toi, que fais-tu ?

Troumane se gratta le menton.

– C'est assez particulier, dit-il en baissant la voix ; je suis sadique.

– Tu es quoi !?

– Sadique…

– Sadique ?

– Oui.

Jango chercha des paroles de réconfort.

– C'est bien ennuyeux, mon pauvre vieux…

– Voire, dit Troumane.

Jango pensa que par cette laconique protestation, son camarade faisait allusion aux félicités qu'il tirait de son vice.

– Évidemment, concéda-t-il, il y a le bon côté...

L'ami eut un rire chromatique.

– Tu me fais marcher? demanda Jango.

– Pas du tout, écoute!

Il expliqua en quoi consistait le métier de sadique. C'était, on va en juger, une profession extrêmement charitable et rémunératrice. Troumane se mettait en relation à moins que ce ne fût le contraire avec des bourgeoises ayant fauté et dont la faute comportait des suites fâcheuses. Ces jeunes filles ou ces dames lui versaient une somme rondelette et portaient plainte contre lui pour attentat à la pudeur. Troumane était arrêté, il simulait la folie sexuelle, et on l'envoyait pour quelques mois dans une maison de santé. L'honneur des dames était sauf et la sécurité matérielle de Troumane assurée.

– Je me débrouille pour travailler en série, conclut Troumane. La détention n'est pas plus longue et c'est d'un plus gros rapport. De cette façon, je suis tranquille pour un bout de temps.

– Remarque, ajouta-t-il, que ça a ses inconvénients. D'abord, les journaux m'appellent le sadique, le satyre, le fou érotique, le maniaque, le triste individu, l'horrible personnage ou le monstre, et on a beau savoir que ce n'est pas vrai, ça vous fait tout de même quelque chose. Et puis, il y a toujours une bande de res-quilleuses : des bonniches, des étudiantes, des dactylos, pour venir jurer que je les ai violées dans un terrain vague ou sur les berges de la Seine... C'est fou ce qu'il y a comme gosses à mon crédit dans Paname... Enfin, il faut bien vivre ; et à notre foutue époque, si on ne se débrouillait pas un peu...

– C'est bien vrai, reconnut Jango.

Pris d'une subite idée, il demanda :

– Si tu es marié, ta femme doit être gênée par les à-côtés de ton métier ?

– Je ne suis pas marié ! se récria Troumane. Confidentiellement : les femmes ne m'ont jamais intéressé...

Un long silence suivit les révélations de Trou-mane. Jango fit remarquer que les filtres avaient filtré. Ils vidèrent leur tasse.

– Je m'excuse, murmura Jango, mais j'ai un rendez-vous.

– Eh bien, allons-y, décida Troumane. J'ai tout mon temps, je t'accompagne...

Ils descendirent l'avenue.

Un car de Hollandais la remontait pour aller photographier la dalle sacrée.

154

Jango commençait à trouver gênante la présence de Troumane.

Il chercha à le lui faire comprendre sans le heurter.

– C'est un rendez-vous galant.

– Elle est belle ? questionna simplement Troumane.

– Elle a des formes…

Ils dépassèrent l'avenue Montaigne et s'engagèrent sous les arbres.

– Où allons-nous ? demanda le sadique.

– Vers la Madeleine.

– Ça nous fait une bonne promenade digestive.

Jango fut irrité de cette insistance. Il pénétra dans le premier urinoir qu'ils rencontrèrent et se décora de la rosette. Il ressortit et passa devant Troumane qui, bien entendu, ne le reconnut pas. Il s'éloigna tranquillement. Cinq minutes plus tard, le sadique le dépassa en courant, la main en visière au-dessus des yeux.

*

La boulangère attendait Jango à la terrasse du Weber, devant une glace à la vanille. Elle s'était déguisée en boulangère-de-sortie-à-Paris. Pour ce faire, elle avait mis un corsage bien fourni en dentelle, une jupe imprimée jaune et un chapeau de paille large comme le toit d'une hutte.

Jango s'avança vers sa table et s'inclina.

– Madame Édith? demanda-t-il.

– Mais… oui.

– Je viens de la part de mon ami Jango…

– Ah! fit la boulangère d'un ton neutre.

– Il a eu un empêchement de dernière heure et il m'a téléphoné de venir l'excuser.

– Je vous remercie, murmura la brune ardente, déçue du haut en bas.

Avec autorité, Jango tira une chaise à lui.

– Vous permettez?

– Je vous en prie.

– Vous accepterez bien quelque chose?

– Je prends déjà une glace, minauda Édith.

– Justement, fit observer Jango, ça donne soif.

Conquise par cette exquise politesse, la dame se consola de la carence du Jango-première-manière.

– Je serais curieuse de savoir comment vous avez pu me trouver du premier coup, dit-elle.

– Oh! C'était très facile, assura Jango. Mon ami Jango, qui est un connaisseur, m'a dit: «Tu ne peux pas te tromper, c'est la femme la mieux faite qui sera assise à la terrasse.»

156

– Flatteur!

Jango attrapa la main de sa voisine et la porta à ses lèvres.

– Je crois, dit-il, que vous disposez de votre après-midi; je serais heureux si vous me permettiez de vous emmener au cinéma.

La dame ne fut pas longue à se décider.

Jango était intéressé par son expérience et ne doutait plus de sa réussite.

Ils prirent un taxi. Le taxi est un instrument de séduction capital et, au fond, peu onéreux. Ils se firent conduire à un cinéma du boulevard des Italiens où l'on donnait *Fabiola*.

Dans le noir, leurs mains se joignirent. Ils s'embrassèrent bien avant Mme Morgan et M. Vidal. Sans trop tâtonner, Jango trouva la jarretelle de sa compagne.

– Polisson, chuchota la boulangère.

Au bout d'un moment, ils ne surent plus bien quel était leur fauteuil respectif... Des demoiselles à bon Dieu, venues assister au martyrologe des premiers chrétiens, commencèrent à tousser. La plus âgée finit par dire à mi-voix que la France ne se remettrait jamais de la guerre tant que des couples sans moralité ni retenue porteraient le scandale aux yeux de l'innocence et de la pureté.

– Si on partait? proposa Jango.

La boulangère ne demandait pas mieux... Les pommettes en feu, ils quittèrent le cinéma d'une démarche de funambules.

Ils tournèrent la rue Taitbout et gagnèrent la rue de Provence aux petits hôtels accueillants.

Moyennant quelque trois cents francs, Jango acheta une heure d'isolement dans une chambre de passe.

– Vous n'êtes pas sérieux, assura la boulangère qui connaissait les usages.

En guise de réponse, Jango lui entoura la taille et lui dit que plus rien ne comptait.

Aussitôt, il éprouva un remords en songeant qu'il se cocufiait soi-même.

– C'est mal, gémit-il, je trahis mon meilleur ami.

La brune ardente, qui désirait davantage un mâle qu'un objecteur de conscience, assura que Jango n'était qu'un triste rapin, timoré et verbeux, et qu'elle voulait l'oublier.

Elle comptait ainsi que, grâce à l'émulation, elle obtiendrait de l'ami dévoué de sérieux témoignages de virilité.

Après quelques gâteries, la boulangère passa derrière le paravent afin de se dévêtir. Jango enleva sa veste. La glace du lavabo lui renvoya son véritable visage.

Il fronça les sourcils, reprit promptement sa

veste et chercha à la hâte un prétexte lui permettant de faire l'amour tout habillé.

Un moment, il eut l'idée d'invoquer une mauvaise grippe, mais il régnait une telle chaleur dans la chambre exiguë qu'il y renonça. Il ne pouvait pas sous peine de crouler sous le ridicule alléguer une timidité fortement démentie par ses manœuvres préparatoires.

Le fétichisme n'était pas un argument non plus. Il allait se décider à redevenir Jango lorsqu'il se produisit une rumeur dans le couloir.

Des coups furent frappés à la porte.

Jango alla ouvrir.

Il se trouva en présence du boulanger que le personnel de l'hôtel essayait de calmer.

– Jules ! cria Édith.

– Cette fois, gredine, j'ai la preuve…

– On ne faisait pas de mal, murmura Jango.

Ce dernier se félicitait d'avoir endossé sa veste, ce qui le rendait méconnaissable. Derrière son aspect de décoré, il se sentait à l'abri.

Le boulanger eut l'air de sortir d'un songe. D'un très mauvais songe qui vous brise les nerfs. Il se mit à pleurer.

Voyant que tout danger était conjuré, les garçons d'étage retournèrent à leurs bidets…

– Je suis un malheureux, larmoya le boulanger. Je me doutais depuis longtemps que je l'étais… Alors, je t'ai suivie…

– C'est du propre! dit Édith.

Elle prit Jango à témoin:

– Enfin, monsieur, je vous fais juge… Est-ce un procédé? Suivre sa femme, comme un flic suit un malfaiteur… Qui m'aurait dit ça à l'époque où cet individu me faisait la cour…

Navré de voir que cette nouvelle expérience avait échoué, Jango n'avait plus que le désir de s'éclipser.

Après des paroles de modération, il laissa les époux à leurs griefs.

Ceux-ci ne durèrent pas très longtemps. Troublé par la tenue de sa femme et par l'atmosphère du lieu, lourde de sueur et de soupirs, le boulanger fit amende honorable et, la chambre étant payée, il l'utilisa au mieux pour apaiser les ardeurs de sa femme et réussir la réconciliation.

CHAPITRE IX

Le juge Pompard se haussa sur la pointe des pieds pour permettre à ses fesses tristes d'atteindre la banquette. Il les déposa précautionneusement sur la moleskine et sortit de ses poches tous les quotidiens de Paris. Au moment où Jango le rejoignit, la table de la brasserie ressemblait à l'éventaire d'un dépositaire Hachette.

– Bigre, dit Jango, vous vous intéressez à l'actualité, à ce que je vois...

L'homme-à-tête-de-tirelire leva doucement sur l'arrivant des yeux lourds de tristesse.

– Vous avez lu? demanda-t-il.

– Quoi donc?

– Ça!

– Le tremblement de terre?

– Non, ça...

Il écrasa son index dodu sur un titre

«Étrange disparition de la femme d'un juge d'instruction et d'une de ses amies», lut Jango.

Il hocha la tête:

– A notre époque, il faut s'étonner de rien.

– Mais, dit le juge, mais il s'agit de ma femme...

– Je vous demande pardon? Je n'avais pas fait le rapprochement. Non? Vous êtes juge d'instruction?

– Oui, mais ça n'arrange rien... J'ai l'air ridicule, avec cette histoire.

– Je vous avais prévenu: les hommes ont mauvais esprit. Dès que vous signalez la disparition d'un conjoint, les gens vous traitent de cornard!

– Justement, ça n'a pas été le cas. Ce qui complique tout, c'est la disparition de son amie Rose...

– Une personne très bien, assura Jango.

Le juge frotta son pouce sur la fente de sa tirelire.

– La police ne peut croire à une coïncidence. Comme, de ce fait, toute idée de fugue est écartée, elle va, parce que je suis de la maison, déployer tous ses moyens... C'est très inquiétant, d'autant plus que j'ai été obligé de parler du soi-disant échange de location. Sans aucun doute, vous allez recevoir la visite des enquêteurs. Dites qu'en effet vous avez vu les deux femmes et qu'elles sont reparties de chez vous, bien entendu...

– Bon, consentit Jango.

– Surtout, conservez votre sang-froid…

Jango eut l'air surpris par cette exhortation.

– Naturellement, voyons.

Vaguement tranquillisé, le juge-plus-large-que-haut tendit cinquante mille francs à son fournisseur de deuil.

– Merci, dit Jango.

Il enfouit les billets dans sa poche et ajouta avec un charmant sourire :

– Je ne recompte pas… Si un juge n'était pas honnête…

– C'est moi qui vous remercie pour votre accommodement, déclara Pompard. Vous avez eu un double tracas, avec cette stupide complication…

– N'en parlons pas ! se récria Jango. Tout le plaisir a été pour moi.

Il réalisa ce que cette affirmation pouvait avoir d'inquiétant.

– Je veux dire, corrigea-t-il, que j'ai été très content de connaître l'amie de votre femme. Nous avons parlé peinture. Elle était très compétente…

– Elle avait des goûts avant-gardistes…

– Vous n'aimez pas la peinture nouvelle ?

Le juge se voila la face.

– Ma femme peignait aussi. Toute ma vie a

été gâchée par des discussions stériles sur le cubisme, le surréalisme et autres fadaises. Picasso, monsieur ! Picasso, je le connais mieux que moi-même… Je sais son âge, ses liaisons, le nombre de ses tableaux et ce qu'il mange à son petit déjeuner… Monsieur, j'ai acheté mon veuvage afin d'être tranquille. Afin de pouvoir décrocher tous les cauchemars qui couvrent mes murs. *La Femme à la chaise*, monsieur, je l'ai depuis dix ans devant les yeux ! En face de mon lit. Il paraît que seule la maison Braun parvient à rendre toute la vérité de l'original dans une reproduction. Eh bien, monsieur, j'ai souvent rêvé d'incendier la maison Braun. *La Femme à la chaise*, je vais la décrocher, la sortir de derrière la vitre qui la protège ; je vais essayer de trouver ses deux yeux et je les crèverai à coups d'épingle. Je la mettrai aux waters. Et savez-vous par quoi je la remplacerai ? Parce qu'il faut bien cacher le rectangle intact de tapisserie. Par *L'Angélus* de Millet. Voilà de la vraie peinture…

– C'est en effet très beau, approuva Jango qui se souvenait d'avoir vu une reproduction de la fameuse toile sur un couvercle de boîte à biscuits.

– Si c'est beau ! tonna le juge-à-tête-de-tirelire. Vous voulez dire que c'est divin…

– Je voulais le dire, oui : c'est… c'est… étonnant !

– Ah, monsieur, murmura tristement le juge Pompard, on voit bien que vous êtes un militant de la peinture moderne : vous employez le langage de ceux qu'elle envoûte…

Pour faire diversion, car l'exaltation de son client le troublait, Jango lut la première page d'un journal du soir. Il feignait de prendre connaissance de l'article réservé à la licorne et à son amie Rose, mais son regard furetait sur les colonnes voisines. Il découvrit la photographie de Maurice et se laissa aller jusqu'à crier de surprise.

Le juge se pencha.

– L'affaire Borrel, murmura-t-il.

Jango dévorait l'article. Il apprit que le juge Pompard, qui instruisait l'affaire, avait lancé contre Maurice un mandat d'arrêt.

L'article s'intitulait : *Un jeune débauché assassine son tuteur.*

– Mais, balbutia Jango, mais c'est vous, le juge Pompard… ?

– Parfaitement !

L'homme-plus-large-que-haut regarda son interlocuteur.

– Vous connaissez ce jeune homme ?

– Comme je vous connais, fit Jango.

Il y eut un moment de flottement. Les deux hommes essayaient d'ordonner leurs pensées.

– Le type de la morgue n'est pas son oncle, lâcha Jango.

Le juge n'osa pas comprendre. Il tint son regard baissé sur ses genoux.

– Pour tout vous dire, son oncle est avec votre femme.

Pompard respira profondément et but une gorgée d'eau gazeuse. Un peu de sueur perlait sur les côtés de sa tirelire.

– Ce Maurice, enchaîna Jango, a été mon dernier client… avant vous. Remarquez que je n'ai pas pour habitude de parler de mes affaires, mais c'est différent, n'est-ce pas ? Il va faire des confidences… La police vérifiera. Déjà, l'histoire de votre femme va, vous me l'avez dit, attirer l'attention sur moi.

– Aïe, aïe, aïe, aïe, aïe, fit le juge.

– N'est-ce pas ?

– Ces messieurs m'ont appelé ? demanda le garçon.

Non ! Ces messieurs n'avaient appelé personne. Ces messieurs éprouvaient l'impression de connaître trop de monde. Ces messieurs rêvaient du Sahara, d'un palmier, d'un mètre carré d'ombre, parce que ç'aurait été rudement bon pour ces messieurs d'être assis dans le mètre carré d'ombre, adossés au palmier, à des milliers de kilomètres de soif et de sable des flics.

– Nous sommes dans un beau pétrin, constata le juge. Si, au moins, j'avais connu ce détail ce matin… Mais maintenant que j'ai signé un mandat d'amener, tout l'appareil judiciaire est en mouvement. Et puis !… Que voulez-vous… Ils sont plus de vingt personnes qui jurent sur l'honneur que le décédé de la morgue est le colonel Borrel…

– C'est de ma faute, dit tristement Jango. Depuis quatre jours, je porte malheur et il m'arrive les pires ennuis…

Le juge tira sa montre.

– Vous m'excuserez, j'ai rendez-vous avec un philatéliste pour lui acheter un «Bolivien» d'une extrême rareté. Il y a déjà très longtemps que je le convoitais… Mais avec ma femme…

*

Jango regarda le juge se diriger, avec ses petites jambes, jusqu'à la station de métro voisine.

«Il n'est pas heureux, pensa-t-il. Alors, ça n'a servi à rien d'interrompre l'histoire de la chèvre de monsieur Seguin ?… Et son bœuf braisé ?…»

Jango devinait que des nuages noirs s'accumulaient à son horizon et à l'horizon de tous ceux qui, de près ou de loin, étaient mêlés à la disparition du colonel.

Il se tortura le cerveau afin de chercher un mode de restitution de la rosette. Ça n'était vraiment pas aisé de régler un différend de cette nature avec un mort, surtout lorsque ce mort était un ancien colonel. Il aurait bien jeté le bout de tissu dans la cuve d'acide, mais le geste aurait été irrémédiable et, dans le cas où il n'aurait pas convenu au colonel, Jango n'aurait plus eu aucun recours.

« Peut-être que Barbara a trouvé une solution », pensa-t-il… Il lui téléphona.

– Tu tombes bien! s'exclama Barbara. J'ai déjà passé plusieurs coups de fil chez toi pour te dire…

– Je sais déjà, coupa Jango, j'ai lu le journal.

– Tu sais quoi? Tu as lu quoi, sacrebleu?

– L'arrestation de Maurice, pardine!

– Maurice a été coffré?

– Ce matin; et sais-tu par qui? Par le type dont j'ai soigné la femme hier. Figure-toi qu'il est juge d'instruction…

– Pas possible!

– Puisque je te le dis.

Barbara éclata de rire ; et son rire était si spontané, si exaltant que Jango reprit confiance.

– C'est pas tellement drôle, objecta-t-il pourtant.

– Oh si ! Tu te rends compte d'un méli-mélo… En tout cas, tu vois que tout s'arrange ?

– Tu trouves ?

– Tiens donc ! Ton juge ne laissera pas l'enquête se poursuivre de ton côté. Ça risquerait de mal aller pour lui…

Elle s'interrompit un instant et reprit :

– Enfin, bref, il ne s'agit pas de ça. Je suis allée rue Bonaparte porter ton tableau. J'ai été bien reçue par le directeur. Dès que j'ai eu déplié la toile, il a poussé des coups de sifflet et a ameuté les visiteurs. Ils ont tous crié au miracle. Ensuite, il m'a demandé combien j'en voulais… Je lui ai dit que cette peinture appartenait à un de mes amis. Alors, il m'a demandé de laisser la toile chez lui, m'a fait un reçu et a insisté pour que tu trottes le voir.

Jango n'en croyait pas ses oreilles.

– C'est sérieux ? fit-il.

– Et comment ! Je serais toi, je prendrais un taxi et je rendrais visite au bonhomme. Il s'appelle Pichaud ; tu verras, c'est un gars sympa.

La nouvelle ahurit tellement Jango qu'il ne pensa pas à entretenir Barbara de ses affres.

Il eut l'impression qu'il venait de vaincre le colonel.

– A demain, dit-il. Je te remercie.

*

Monsieur Pichaud était un petit homme à tête de marin nostalgique. Il avait des cheveux blonds pas coiffés, et des yeux bleus intelligents et passionnés.

– Je viens au sujet du tableau qu'une de mes amies vous a apporté cet après-midi.

– Ah, monsieur! cria Pichaud. Quel chef-d'œuvre!

– Oh! Vous trouvez?

– Si je trouve! Il demande si je trouve!… Mais j'en suis certain, monsieur… C'est une chose exceptionnelle.

– Étonnante? proposa à tout hasard Jango.

– C'est cela : étonnante et… magnifique.

Du coup, Jango comprit qu'il avait affaire à un adepte de l'art nouveau.

– Il y a quelque chose de…

Il ne se souvenait plus du nom flamand que l'amie de Rose avait cité.

– De…?

– D'Impanis, dit Jango.

– Connais pas…, fit le directeur, peu au courant des vedettes du cyclisme.

– Et de Pierre Renoir, se hâta d'ajouter le peintre.

Pichaud sourit de la confusion.

– En tout cas, c'est très beau. Quelle matière ! Quelle densité !

– Oui ! s'enthousiasma Jango.

– Et, reprit Pichaud, savez-vous que j'ai fait derrière une découverte intéressante ?

– Pas possible !

– Mais si, il y a là une tentative assez curieuse…

Jango évoqua les abricots.

– Par exemple ! Je ne me serais jamais attendu à ça. C'est mal dessiné, c'est criard…

– Tu, tu, tu, tu : une recherche, vous dis-je ! Naïve ? Certes ! Mais curieuse, justement, de par cette naïveté. Le type qui a peint cette chose est un simple.

La mémoire de Jango s'ouvrit encore sur le compotier d'abricots.

– Pour être un simple, c'en est un, sourit-il.

Pichaud l'emmena dans une pièce avoisinante.

Arrivé dans l'encadrement de la porte, il s'arrêta, prit le bras de Jango et le serra d'un geste frénétique.

– Beau, beau, beau, beau, beau ! aboya-t-il. Il tendit le doigt en direction d'un chevalet occupant le centre de la pièce.

– Regardez-moi ça ! Nom de Dieu... Ces volumes ! Cette matière... Cette substance...

Jango regardait et ce qu'il voyait le glaçait de déception. Orgueilleux, triomphants, flamboyants, comestibles, les abricots trônaient au milieu de la salle.

– Hein ? Ça n'est pas du Tino Rossi, fit Pichaud en essuyant une larme.

Il se tourna vers Jango.

– Dites, par curiosité, où avez-vous déniché ce Braque ?

– Ce quoi ?

– Ce Braque.

– Qu'est-ce que ça veut dire : Braque ?

– Mais c'est le nom d'un peintre... D'un grand peintre ! Vous n'avez jamais entendu parler de Braque ?

– Non.

Pichaud tira sur ses favoris blonds.

– Allons, dit-il, vous n'allez pas me dire que vous ignoriez que cette toile fût un chef-d'œuvre !

– Je vous jure, balbutia Jango. Je vous jure...

Il avisa un siège et s'y abattit comme un ivrogne.

– Je ne savais pas, murmura Jango. Je trouvais ça mal fichu et idiot.

– Des abricots…

– Des abricots peints par Braque !… souligna Pichaud.

– Fallait le savoir !

Jango sentit qu'une révolte se ramassait dans sa poitrine. Il alla au chevalet et retourna la toile.

– C'est cela que je voulais vous montrer.

Le colonel le guettait de son œil sarcastique.

– Regardez-moi ce bougre de sale vieux ! s'écria Jango. Ça a passé sa vie à faire tuer des types et ça vient vous enchoser une fois mort. J'ai fait son portrait de mémoire, on m'a dit qu'il était bon et que je devais vous le montrer… Je vous l'ai donc apporté. Et voilà que vous n'y prêtez pas attention, juste assez cependant pour dire qu'il est l'œuvre d'un crétin…

– D'un simple, rectifia Pichaud. Il y a une naïveté dans la composition…

– Étonnante ?

– C'est vrai, étonnante.

Jango ramassa l'oxygène de la galerie à pleins poumons. Il voulait se libérer avant que sa colère ne refroidisse.

Parfaitement, je suis un simple. J'ai peint

comme j'ai pu. Mais vous vous en moquez. Vous ne pensez qu'à ces bon Dieu d'abricots !

Il retourna à nouveau la toile.

– Parlez-m'en… On dirait n'importe quoi, sauf des abricots. Est-on sûr seulement que ça en soit ? Ils sont fichus comme l'as de pique. Si votre fruitier voulait vous vendre « ça » pour des abricots, vous iriez chercher les agents de police !

Il remit le tableau côté colonel.

On eût dit un professeur de géographie commentant les différents aspects d'une région. Sa voix rentra dans la légalité. Il parla avec un tel accent de détresse que Pichaud en eut mal aux amygdales.

– Vous croyez que ça vaut quelque chose ?

– C'est très intéressant, assura doucement Pichaud. Vos bleus sont sensationnels !

– Alors ? questionna Jango.

– Alors quoi ?

– Que faut-il faire ?

– Je ne sais pas… Ce Braque est formidable. D'autre part, je conçois que vous teniez à votre œuvre…

Sollicité par la peinture de Jango, Pichaud lui accorda une profonde attention.

– Après tout, c'est très personnel. Ça a de la

gueule ; une allure, un aspect, une physionomie et même... même de l'envergure !

– Bien, dit résolument Jango, qu'est-ce que tout cela veut dire ?

– Voyons ! sursauta Pichaud.

– Par exemple, je prends : «étonnant»... Qu'est-ce que ça signifie en peinture ?

– Mais...

– Mais ?

Jango haussa les épaules. Il sortit un journal de sa poche et s'apprêta à envelopper son tableau.

A cet instant, un chien se mit à hurler dans la salle voisine et Barbara fit une entrée de cinéma.

– Ouf ! s'exclama-t-elle. Te voilà ! Je me doutais que tu serais venu.

Elle s'interrompit pour observer les deux hommes.

– Vous paraissez contrariés ?

– Il n'y a pas de quoi se rouler par terre, grommela Jango.

Elle se tourna vers Pichaud.

– Que se passe-t-il ?

Le directeur de la galerie la mit au courant de la découverte qu'il avait faite et du quiproquo qui en avait résulté.

Barbara fronça le sourcil pour mieux se

concentrer. Elle fit taire Flick d'un coup de talon ; le chien, privé de son moyen d'expression essentiel, se contint quelques instants, puis, pris de panique, urina timidement devant le colonel.

– Ne vous affolez pas ! recommanda Barbara. Le tout est de regarder les choses en face. Ce «Bach» que vous dites, est-ce l'artiste de cinéma ? Parce qu'alors, on pourrait p't-être arranger les choses : une de mes amies a joué avec lui à La Porte Saint-Martin.

– Non, il ne s'agit pas du comique, dit patiemment Pichaud ; l'artiste dont je parle s'appelle Braque.

– Et il est connu ?

– D'une façon inouïe.

– Inouïe ? fit Jango.

Barbara le regarda :

– Où avais-tu pêché ce tableau ?

– aux Puces… Je l'avais acheté à cause du cadre.

– C'est là-bas qu'il expose, votre monsieur Barque ? demanda-t-elle au directeur.

Pichaud eut l'air sérieusement ébranlé.

– Aux Puces ?

– Aux Puces, appuya Jango.

– Écoutez, dit Pichaud, le mieux c'est qu'on mande un expert. Voulez-vous repasser demain ?

– Je veux bien.

– Je convoquerai Brumeinstopfielddicovtchi, le plus compétent des experts français.

Barbara avait repris son examen de la toile de Jango.

– En tout cas, affirma la jeune femme, je préfère le tien, Jango. C'est franc, le vieux. Je ne dirai jamais assez comme c'est ressemblant !

Elle donna un coup de coude à Pichaud et lui lança un clin d'œil suppliant.

– Vous ne la trouvez pas bonne, cette peinture ?

– Mais si, s'empressa Pichaud, mais si ; et je l'ai déjà dit à Monsieur avant de savoir qu'il en était l'auteur.

Malgré ces bonnes paroles, Barbara crut sentir une réserve.

– Vous la trouvez comment ?

– Bheu..., fit Pichaud, c'est difficile à expliquer !

– Enfin, demanda Jango, elle n'est ni étonnante, ni inouïe ?

– Non.

– Pourquoi ?

– Parce qu'il lui manque un certain équilibre dans les volumes.

Il s'approcha du chevalet, le bras tendu, le pouce modeleur...

Il posa son pouce sur le cou du colonel et descendit en zigzag jusqu'au bouton de son veston, au bas de la toile.

– Vous avez ici une masse bleue.

– Ben, la veste…

– Elle rompt l'équilibre de votre toile.

– Oui, oui, exulta Jango qui avait compris.

– Vous saisissez? dit Pichaud. Il faudrait ici un autre volume pour diminuer l'importance de cette masse bleue.

Jango plia son tableau dans *Paris-Presse* et le prit sous son bras.

– Je vais réfléchir à ça. A demain…

Barbara l'accompagna jusqu'au quai où Jango allait attendre son autobus.

– Tu vois, lamenta Jango, les ennuis continuent…

Il raconta à son amie ses avanies de l'après-midi avec la boulangère. Barbara s'en montra secrètement satisfaite.

– Tu as bien fait d'enlever cette rosette, dit-elle. Moi, à ta place, je la jetterais.

Jango sortit l'accessoire rouge de sa poche. Il s'approcha du parapet et, d'une pichenette, envoya la rosette dans la Seine[1].

---

[1] Du moins Barbara et Jango crurent-ils que l'insigne était tombé à l'eau. En réalité, un coup de

Tu as raison, approuva Barbara… Voilà enfin une bonne chose de faite. Je vais être plus tranquille pour toi.

Tant de sollicitude troubla Jango.

– On s'aime bien, murmura-t-il.

Il n'en fallait pas davantage pour que Barbara sentît pousser dans son cœur une touffe de vague à l'âme et qu'elle tendît à son compagnon une bouche en issue d'œuf.

Jango fit miauler leur baiser.

Flick profita de la halte.

---

vent imprévu le chassa sur la berge où le trouva un vieux gratte-papier bucolique. Cet homme, comme tous les Français dont le revers est vierge, rêvait aux palmes. Il trempa la rosette dans l'encre violette (louons ses scrupules et sa modestie) et se nomma le soir même officier des Palmes académiques.

CHAPITRE X

Quand les boulangers sortirent de l'hôtel, le crépuscule rôdait dans Paris. La rue de Provence était silencieuse et des silhouettes furtives glissaient le long des façades.

– Eh bien!... fit le boulanger en clignant des yeux sous les lumières.

Ces deux mots laconiques devaient être lourds d'éloquence et ressusciter dans la mémoire de la boulangère des images d'une exceptionnelle qualité, car un sourire paisible de femme comblée flotta sur ses lèvres.

– Mon ami! dit-elle.

Le boulanger éclata d'un bon rire d'homme qui vient de se mettre à jour.

– Hein? ajouta-t-il en empoignant le bras de sa femme.

– Ça..., dit la brune ardente.

– Bongu! conclut l'homme.

Il cherchait à qui témoigner le sentiment de gratitude qui le démangeait.

Le boulanger laissa un pas d'avance à sa

femme et la flatta d'une claque sur ses belles fesses prêtes à mordre.

– Quelle gaillarde tu me fais ! fit-il amoureusement.

Il ne regrettait pas sa journée, bien qu'elle lui eût fourni la preuve que son épouse ne redoutait pas de s'isoler en compagnie de messieurs.

– Qui c'était ? demanda-t-il.

– Qui ?

– Le type de tout à l'heure !

Un peu de nostalgie se délaya dans la tiède langueur de la boulangère.

– Sais pas…

– Oh ! Dis… Tu te moques de moi ?

– Mais non, je te jure, Jules, que je ne connaissais pas ce monsieur.

Elle inventa une belle histoire :

Édith est assise à la terrasse d'un café. A la table voisine se trouve le monsieur. Soudain, le monsieur regarde Édith, douloureusement…

– Si tu avais vu ces pauvres yeux, Jules… Touche mes bras, j'en ai la chair de poule…

… Deux grosses larmes se mettent à couler sur ses joues. Édith lui demande charitablement pourquoi ce chagrin…

– … Tu sais comme je suis sensible, Jules ?…

… Voilà : le monsieur pleure parce qu'Édith

lui rappelle une femme qu'il a follement aimée et qui est morte dans un bombardement...

– ... Elle avait vingt-deux ans, Jules, et elle attendait un bébé.

... Plus le monsieur regarde Édith, plus il trouve qu'elle ressemble à Laurence...

– ... Elle s'appelait Laurence, Jules...

... Et plus il trouve qu'elle ressemble à Laurence, plus il pleure. A la fin, il supplie Édith d'aller dans une chambre et de se déshabiller pour qu'il puisse avoir l'illusion que l'être aimé est ressuscité. Il donne sa parole qu'il sera correct. Il montre même ses papiers : Comte Gaëtan de La Roche-sur-Yon. Il est décoré. Il manie le subjonctif. Il sanglote. Il menace de se suicider...

– ... Qu'est-ce que tu aurais fait à ma place, Jules ?

Le cas était délicat pour une femme sensible ; Jules en convint. Cette histoire le botta tout à fait. Il en oublia qu'il avait été de l'autre côté de la rue Royale et avait assisté à une prise de contact moins romanesque.

Le calvaire de ce pauvre comte l'attrista. Il essuya ses yeux en pensant à la petite Laurence.

*

Tout en parlant, ils arrivèrent à Saint-Lazare. Comme ils traversaient la cour du Havre, le boulanger se heurta à un homme portant un « Braque » et un « colonel » sous le bras, enveloppés dans *Paris-Presse*.

– Mais c'est monsieur Jango !

Jango se retourna, réprima un haut-le-corps, sourit et dit :

– Bonjour. Quel hasard !

Édith rougit.

Le mari révéla que sa femme et lui s'étaient payé une petite escapade. Il cligna de l'œil et débita des polissonneries, malgré les adjurations de sa femme qui pensait que Jango était un confident mal choisi.

Ils s'offrirent l'apéritif à une des buvettes du hall supérieur, avant de passer sur les quais de départ.

Jules prétendit qu'il avait besoin d'un petit coup de fouet et but plusieurs verres de calvados. Jango n'aimait ni l'alcool ni les pommes, et surtout pas l'alcool de pommes. Néanmoins, il tint tête au boulanger. La vie lui mettait ce jour-là, à la bouche, un goût de pomme de terre mal cuite, de traite retournée, de pourvoi en grâce rejeté, d'aube pluvieuse, de fumée de tunnel, de lettre anonyme, de morue trop salée, de fin de mois difficile, de rendez-vous

183

manqué, d'encrier renversé, de viol raté, de cuisine au saindoux (pas question de hibou, joujou, etc.), de Luis Mariano, d'inquiétudes menstruelles et d'angine.

Le boulanger s'arrêta de parler et ne put rattraper une grimace de souffrance.

– Quelque chose qui ne va pas? s'inquiéta Jango.

Le brasseur de farine regarda sa femme et, des yeux, lui apprit la nature de son mal.

– C'est sa blessure de guerre, fit-elle.

Jango compatit:

– J'ignorais que vous ayez été blessé, dit-il. C'est grave?

– Lali-lala, expliqua le boulanger.

Jango demanda de quelle nature était la blessure.

Après de légitimes hésitations, le brave homme lui confia qu'au cours de l'exode de 1940 il s'était flanqué un coup de manivelle d'auto dans les parties. Il en était résulté une faiblesse de l'endroit endolori; et chaque fois que le boulanger participait à d'importants ébats sexuels, il souffrait terriblement.

Jango dit que la guerre était une chose atroce.

La boulangère renchérit. Elle fit remarquer que ce n'était pas avec sa croix de guerre que son mari faisait l'amour. De là, l'entretien glissa sur Staline. Le boulanger était anticlérical et anticommuniste. Il dit son plaisir de voir le Vatican et le Kremlin en conflit. Il espérait que Staline ferait assassiner le pape et qu'en représailles les chrétiens lyncheraient le père des peuples. Sa souffrance le rendait hargneux. Si, à cet instant, il avait été juré, il aurait contribué à un verdict très sévère, et s'il avait été à son pétrin, il aurait abondamment craché dedans, comme il le pratiquait dans ses heures de douleur ou de soucis.

Ils gagnèrent le quai de départ et s'installèrent dans le train à deux étages qui venait de se faufiler sous la marquise. Un homme prit possession de la quatrième place de la travée ; ils ne lui accordèrent aucune attention sur le moment. La boulangère s'était placée en face de Jango pour pouvoir glisser ses jambes entre celles du peintre. Le boulanger occupait un coin fenêtre et pensait à sa souffrance. Tous trois demeurèrent un long moment sans parler. Ils étaient abrutis par Paris et par ce qu'ils y avaient fait au cours de cette journée. Quand le train s'ébranla, la secousse du départ fit choir le tableau que Jango tenait à ses côtés. Un pan du journal s'ouvrit et le visage inflexible du colonel apparut.

– Oh ! s'exclama la boulangère. C'est une peinture de vous ?

Jango acquiesça mollement.

– Montrez! supplia Édith. Je voudrais tellement voir ce que vous faites...

Il acheva de dégager le colonel de *Paris-Presse* et le tendit à la brune ardente qui se mit à l'examiner en poussant des gloussements.

– Regarde-moi ce tableau! ordonna-t-elle à son mari. Hein? Jules, qu'en penses-tu? C'est de la peinture, oui ou non?

Le boulanger soutint un instant de la main le siège de sa douleur qu'il allait devoir délaisser pour satisfaire aux lois de la bienséance, et regarda le tableau.

– Ah! La vache! cria-t-il avec un tel élan que les voyageurs du wagon tournèrent simultanément la tête, comme à un match de tennis.

Interdits par cette exclamation peu usitée lorsqu'on est censé exprimer de l'admiration, Jango et l'épouse adultère regardèrent le boulanger en espérant des explications ou, pour le moins, des excuses.

– Je vous demande bien pardon, murmura le cocu content, ç'a été plus fort que moi... Mais aussi, ça vous fait quelque chose de se retrouver en tête à tête avec son colonel; enfin, avec son portrait...

– Comment! s'étouffa Jango, vous... vous connaissez ce monsieur?

– Si je le connais, ce salopard? rugit le boulanger. J'ai fait la guerre sous ses ordres jusqu'à la débâcle. Il ne voulait rien savoir pour se replier et nous avons failli être coincés dans le Pas-de Calais. Il nous criait que mourir pour la patrie était le sort le plus beau. Même qu'il nous balançait ça en chantant. Fallait-il qu'il soit barjot! Nous, on s'est fait la paire comme on a pu, vu que les gars, maintenant, ne préviennent plus les Auvergnats quand vient l'ennemi.

– Et le colonel? questionna Jango, la gorge obstruée.

– Il est resté, et faut croire qu'il était verni, car les Allemands ne sont pas passés par là comme on le redoutait. Le vieux les a attendus pendant quarante jours, derrière une mitrailleuse.

– Quarante jours!

– Oui, il bouffait des conserves; c'est un paysan qui lui a appris que la guerre était terminée, sans quoi il y serait encore aujourd'hui.

– Et alors? insista Jango, prodigieusement intéressé.

– Ben alors, il est allé se faire démobiliser. Les Allemands ont su son aventure; ça les a fait rire et ils ont insisté pour qu'on lui flanque la Légion d'honneur.

Jango s'adossa à la banquette et se mit à réfléchir. Une grande lueur d'incendie s'élevait à l'horizon de son intelligence. L'histoire de cette Légion d'honneur l'ouvrait à une vérité secrète : celle du colonel. Il comprenait que le mort se fâchât de se voir frustré d'un titre de gloire tellement mérité que l'ennemi était intervenu afin qu'on le lui décernât. Il regrettait son sacrilège. Il acceptait, avec presque de la reconnaissance, la vengeance posthume de l'ancien officier et, au plus secret de son âme, cherchait une source de contrition.

– Vous l'avez connu, vous ? demanda le boulanger.

– Pardon ?

– Je dis : vous l'avez connu ?

– Qui ?

– Le colonel, parbleu ! dit le cocu enfariné.

– Très peu. Je l'avais vu chez… chez des amis.

– Et vous avez peint son portrait de mémoire ? Compliments ! C'est bougrement ressemblant.

Le boulanger éloigna le portrait de ses yeux pour en avoir une vue plus complète. Son voisin de droite, le petit homme que nous avons signalé tout à l'heure comme faisant le quatrième de la travée, sortit d'une tendre somnolence, laquelle, étant donné son air grave, aurait aisément pu passer pour de la méditation.

C'était un homme sérieux et sans passion, qui vivait très à l'aise sous un crâne à peu près chauve. Il avait des poches sous les yeux, une moustache hongroise sous le nez, et il portait un costume discret. Il jeta un coup d'œil au tableau de Jango et sursauta.

– Belle œuvre, ne put-il s'empêcher de déclarer.

Ravie de cette appréciation spontanée, la boulangère se tourna vers lui.

– N'est-ce pas, monsieur ? s'écria-t-elle. Notre ami possède un talent fou.

– Fou, consentit l'homme.

On lui tendit l'œuvre pour qu'il puisse l'examiner à loisir. Il ne s'en priva pas. Contrairement à tous les critiques que Jango avait eu l'occasion de rencontrer, il n'employa aucune épithète sonnante pour exprimer son jugement. Il ne poussa pas de cris, ne gesticula pas, ne recula pas le tableau, ne siffla pas, ne grogna pas, n'eut aucun soupir, aucun sourire extatique, ne porta la main ni à son front, ni à son cœur, non plus qu'à ses parties. Il n'appela pas Dieu à son secours, ne se mordit pas les doigts, ne se tordit pas les mains. Il resta très calme, très attentif, très scrupuleux, et seuls ses yeux indiquaient la force du plaisir que lui procurait cette contemplation.

Ni Jango ni les boulangers n'osaient se manifester. Ils assistaient, muets, à la création d'un chef-d'œuvre. Car, Jango le comprenait parfaitement, c'était l'examen intense du voyageur, sa profonde concentration qui réussissaient le miracle. C'est lui, lui seul qui recouvrait la toile du génie de son admiration comme d'un ultime vernis. Enfin, le voyageur rendit le tableau à Jango. On sentait que, désormais, elle faisait partie intégrante de son individu ; qu'il n'aurait plus besoin de la contempler jamais parce qu'il la portait en lui et qu'elle y avait sa place. Le voyageur paraissait fatigué par son examen. Il se tint un moment, presque en transes, sous le triple regard de ses compagnons de voyage.

— Mes compliments, éjacula-t-il.

— Vraiment ? fit Jango.

— Vraiment.

— Quand je vous le disais, murmura Édith qui redoutait qu'on oubliât ses charmes à la faveur de la peinture.

Le boulanger faisait entre ses dents de vagues mais désobligeantes remarques sur les peintres d'aujourd'hui, lesquels sont capables de faire une œuvre géniale en prenant pour modèle le premier colonel gâteux qui leur tombait sous le pinceau.

Jango se sentit pris d'une vaste tendresse pour le voyageur.

– Vous vous intéressez à la peinture? s'enquit-il aimablement.

– Énormément.

– Vous préférez la peinture moderne ou l'autre?

– J'aime la bonne peinture, répondit le voyageur.

– Vous peignez peut-être?

– Non.

Jango redéplia sa toile. Il la présenta à l'envers au voyageur, c'est-à-dire côté abricots.

– Que pensez-vous de ça? questionna-t-il anxieusement.

Le boulanger voulut formuler un jugement avant son voisin dont l'autorité commençait à l'énerver.

– C'est des abricots! triompha-t-il.

Le voyageur secoua calmement la tête:

– Ça ne casse rien.

– Savez-vous de qui c'est? demanda Jango.

Son interlocuteur haussa les épaules.

– A moins que Braque ait peint ceci un jour qu'il était ivre, ça peut être de n'importe lequel de ses imitateurs.

La salive de Jango se sucra.

– Vous… vous voulez dire que mon tableau à moi est supérieur à celui-ci?

– Sans nul doute!

Jango sourit de bonheur. Il se félicita d'avoir jeté la rosette du colonel, tout à l'heure; sans doute le mort vindicatif était-il flatté par ce geste qui équivalait à une retraite et desserrait-il sa rancune. Jango mit le voyageur au courant de ses démêlés de l'après-midi avec Pichaud.

– Ma foi, dit l'homme, l'expert tranchera la question. Mais son verdict ne changera rien à la réalité: votre œuvre est supérieure à l'autre.

Il se fit un silence dans le petit groupe; Jango eut peur de perdre son compagnon de voyage. Déjà, ce dernier retournait à sa somnolence. Jango s'appliqua à remettre la conversation en route. Il ne voulait pas s'aventurer sur le terrain de la peinture, qui lui était inconnu; aussi parla-t-il: d'un nouvel avion à réaction dont la photographie occupait la première page des journaux, du parti radical-socialiste, d'un dessin de Dubout, de la hausse, et des attaques à main armée.

Seul ce dernier sujet parut intéresser le voyageur à moustaches hongroises. Il se mit à discourir d'une voix rapide et bien construite. Il donna des précisions sur le nombre des agressions et leurs auteurs, dessina en marge du

Monde un graphique criminalistique, raconta la vie de Pierrot-le-Fou Numéro 2, parla du F.B.I. américain (que le boulanger confondit avec le B.O.F. de France, ce qui le rendit ombrageux car il avait un frère aîné, une tante et une maîtresse dans les fromages), indiqua les moyens de répression (risibles) dont disposait notre police, et enfin révéla le montant des émoluments d'un agent, d'un inspecteur, d'un commissaire et d'un préfet de police ordinaires. Quand il se tut, la boulangère s'était endormie, le cocu ne se ressentait plus de ses prouesses de la rue de Provence, Jango regrettait de ne pas s'être engagé dans la police, et tous quatre étaient arrivés.

– Vous descendez ici ? fit Jango, enchanté par la coïncidence.

– Oui, vous habitez le pays ?

– Depuis toujours.

Le voyageur tira un carnet de sa poche, le feuilleta lentement.

– Alors, dit-il, vous allez pouvoir me donner un petit renseignement.

– Tout ce qu'il y a de volontiers, s'empressa Jango, flatté.

Car rien ne lui causait autant de plaisir que d'indiquer le chemin à des touristes, de demander le sien à un agent et de serrer la main à un garçon de café.

– Je voudrais savoir où habite un certain… Attendez… Un certain Jango.

Le boulanger partit d'un rire sincère.

– Jango ! Jango ! s'étrangla-t-il, mais c'est lui, Jango !

– Tiens ! fit le voyageur. Comme ça se trouve !

Il se tourna vers Jango, lequel n'était pas encore revenu de sa stupeur.

– Ainsi, vous êtes monsieur Jango ?

Il regarda le peintre comme, un instant avant, il avait regardé sa toile. Une lueur amusée passa dans ses yeux lointains.

– C'est à quel sujet ? balbutia Jango.

Le voyageur haussa sa moustache jusqu'à l'oreille de son interlocuteur :

– Police ! murmura-t-il.

CHAPITRE XI

Bonne-maman voulait mettre son soufflé au four, mais Zizi la supplia de le laisser un instant encore sur la table, car il assurait que « Ned-le-blanc-d'œuf » s'était dissimulé derrière. Il expliqua à sa grand-mère que le moule du soufflé n'était pas un moule, mais bel et bien un énorme rocher, et, comme preuve de ses dires, il désigna à la vieille femme le canon d'un colt taillé dans une allumette, celui de « Ned-le-blanc-d'œuf », lequel épiait le sergent O'Conno, de la police montée de Fort Anderson.

Bonne-maman dit que « Ned-le-blanc-d'œuf » n'avait qu'à s'embusquer ailleurs et qu'elle devait, elle, mettre son plat à cuire. Comme elle s'emparait du moule, le sergent arriva. Brusquement découvert, « Ned-le-blanc-d'œuf » n'eut pas la présence d'esprit de tirer et il mourut d'une rafale de mitraillette en maudissant la police montée en anglais argotique. Sur quoi, le jeune et valeureux sergent O'Conno rentra à Fort Anderson pour y épouser sa fiancée.

Satisfait par cet épilogue, Zizi rangea dans une boîte de nouilles les acteurs et les accessoires du drame, à savoir : un bouchon de champagne (Ned-le-blanc-d'œuf), un soldat de plomb représentant un chasseur alpin (en l'occurrence, le sergent O'Conno), des morceaux d'allumette, un cure-pipe et une pince à linge.

Ensuite de quoi, il demanda à sa grand-mère la permission d'aller guetter Jango sur le pas de la porte.

Il n'eut pas longtemps à attendre : un petit groupe montait de la gare, parmi lequel il identifia son père et les boulangers.

Parvenu devant le logis de Zizi, le groupe se coupa en deux ; il y eut un mélange de mains et les boulangers s'acheminèrent vers le pétrin conjugal, tandis que Jango et le policier pénétraient dans le jardinet.

– Va jouer ! ordonna Jango à son fils après un baiser distrait ; et dis à bonne-maman que je suis avec quelqu'un et qu'elle retarde le dîner.

Il introduisit le voyageur dans son laboratoire et lui proposa un siège.

– C'est ici que vous peignez ? demanda le policier.

– Non.

– Vous avez raison, l'éclairage n'est pas fameux. Je m'excuse de vous rendre visite à une heure tardive pour ce genre de conversation ; j'enquête sur la disparition de la femme d'un juge...

— Ah, fit Jango.

— Oui, comme j'habite Poissy, j'ai préféré venir vous trouver en fin de journée : comme cela, je pourrai rentrer tranquillement chez moi après.

— C'est une bonne idée, affirma vivement Jango.

— Je suis l'inspecteur Pinaud.

— Enchanté.

Le policier médita un court instant.

— Je n'ai pas voulu en parler tout à l'heure, devant vos voisins...

Jango esquissa une courbette destinée à remercier Pinaud pour sa discrétion.

— ... mais, reprit l'inspecteur, il y a quelque chose qui ne va pas dans votre toile.

— Pardon ?

— Surtout ne vous vexez pas, supplia le policier à moustaches hongroises. Vous avez accouché d'un chef-d'œuvre, incontestablement ; cependant, il existe dans votre composition un je-ne-sais-quoi d'oppressant.

Jango déplia une nouvelle fois le tableau. Il le posa sur le siège que le colonel occupait au moment où il lui avait introduit son aiguille dans la nuque. Les deux hommes le regardèrent attentivement.

— A mon avis, fit le policier, c'est cette masse bleue qui incommode.

— On me l'a déjà dit.

— Ah! triompha Pinaud, donc mon impression est bonne.

— Vous pensez qu'on peut rattraper ça?

— En corrigeant le volume par un autre, parfaitement.

— C'est curieux, dit Jango, vous parlez tout à fait comme le type de la galerie.

Pinaud eut un rire modeste. Il promena sa main distinguée de casseur de gueules sur le dessus de sa tête dont il aimait la consistance et qui lui procurait des sensations tactiles intéressantes.

— Donc, nous devons être dans le vrai.

Jango lui sut gré de l'associer à ses critiques.

— Si vous aviez un moment, proposa-t-il, j'aimerais que vous me donniez des conseils.

— Volontiers.

Ils montèrent à la chambre de Jango.

Quelques instants plus tard, les deux hommes, en bras de chemise, s'affairaient autour de la toile comme deux chirurgiens autour d'une table d'opération. Jango préparait des couleurs, Pinaud combinait des volumes.

Soudain, il fit claquer ses doigts.

– Il me vient une idée du tonnerre !

Jango, par son air suprêmement attentif, l'encouragea aux confidences.

– Cette masse bleue, fit le policier, manque de rouge.

– C'est ce que le gamin m'avait dit, murmura Jango.

– Hé, hé, le bougre ! Il a le coup d'œil…

– Voilà pourquoi j'avais mis la tache rouge de la rosette, révéla Jango.

– Tout à fait insuffisant !

– Oui ?

– Oui ! Mon idée est bien meilleure ; elle concilie tout. Vous allez enlever cette rosette.

– Oh !

– Si ! Mais, à la place, vous peindrez le grand cordon de la Légion d'honneur. Ça coupera en deux la surface bleue de la veste par un parallélogramme rouge.

– Vous croyez ?

– Pas de doute !

Jango trempa un pinceau dans du vermillon et se mit au travail. L'inspecteur l'encourageait par ses exclamations et le guidait de ses conseils.

Au bout d'une heure, la rectification était achevée. Les deux hommes poussèrent un soupir de délivrance et se mirent côte à côte pour contempler le colonel.

– Magnifique! s'enthousiasma Pinaud. Il n'y a rien à redire. Mais! Que vois-je? Vous avez retravaillé le visage… Excellente idée, l'expression bougonne du sujet pouvait créer une impression pénible sur le public…

Jango regarda la figure du colonel et émit un hoquet d'épouvante. Maintenant, le vieillard riait. Il riait avec ses yeux, avec sa bouche, avec ses rides. Une expression douce et miséricordieuse flottait sur ses traits.

Jango voulut crier, une force obscure l'en empêcha. Il voulut affirmer au policier qu'il n'avait pas retouché la face du colonel, mais les mots lui restèrent dans les amygdales. Il constata le phénomène et se hâta de le classer dans la série des métamorphoses de la semaine. Pétrifié dans sa gloire, ivre d'honneur, le regard bredouillant d'orgueil, le vieux colonel contemplait maintenant Jango avec une infinie gratitude. Un flot de reconnaissance fit couler des larmes sur les joues du peintre. Son tableau et lui se sourirent tendrement et communièrent dans une même félicité.

– Jamais vu une œuvre d'une telle classe, assura Pinaud en essuyant sa paupière.

Jango appela bonne-maman et Zizi.

La vieille femme et le gamin entrèrent et s'arrêtèrent devant le tableau comme au bord d'un gouffre.

– C'est grâce à Monsieur si j'ai réussi à faire quelque chose d'aussi beau, murmura Jango à voix basse.

– Comme c'est lui! soupira bonne-maman. On jurerait qu'il va parler…

Zizi ouvrait la bouche et un filet de bave coulait à la commissure de ses lèvres.

Ils demeurèrent longtemps devant le tableau, captivés par un charme vieillot. Le bon colonel les tenait sous son regard paradisiaque.

– Maintenant que tu lui as peint cette écharpe rouge, dit bonne-maman, il ressemble de plus en plus à un président de la République. Je crois que c'est à Albert Lebrun…

La première, elle recouvra ses esprits.

– Je vois, Monsieur, que vous êtes couvert de peinture. Voulez-vous vous laver les mains?

Le policier accepta volontiers. Ils quittèrent la chambre-atelier et descendirent au rez-de-chaussée. Les deux hommes se sentaient creux et fatigués. Ils avaient les traits tirés comme après une nuit d'orgie. Tandis qu'ils se lavaient les mains, bonne-maman sortit du four le rocher ayant servi à l'embuscade de «Ned-le-blanc-d'œuf». Il avait considérablement aug-

201

menté de volume ; maintenant, il se couvrait d'une énorme boursouflure dorée. Elle le déposa tout fumant sur la table où Jango et ses compagnons purent le contempler. L'odeur du mets suggestionna leurs estomacs.

– Si le cœur vous en dit, proposa Jango, un couvert de plus, c'est vite mis...

Pinaud ne se fit pas trop prier.

– C'est offert de si bon cœur que j'accepte de même.

– M'man, fit Jango, je te présente l'inspecteur Pinaud, il va dîner avec nous !

– Ça tombe bien, fit naïvement la vieille femme, j'ai justement un soufflé et un reste de poulet...

Le repas fut très gai. Le policier se montra un convive plein de tact ; il charma par sa brillante conversation. Bien entendu, ce furent des histoires de police qui alimentèrent l'entretien. Elles passionnèrent Zizi et firent frémir bonnemaman. Ce qui l'émut le plus et lui fit pousser des cris d'horreur, ce furent les aventures de Haigt, le cruel vampire de Londres, qui buvait le sang de ses victimes avant de faire disparaître leur corps dans de l'acide. Ces descriptions écœurèrent Jango. Pinaud s'en aperçut et parla d'autre chose. Il montra ses menottes à Zizi ; prodigieusement intéressé, le gamin voulut que l'inspecteur lui expliquât le fonctionnement de l'appareil. Pinaud fit sa démonstration sur Jango dont il emprisonna les poignets dans les bracelets d'acier.

– Quelle misère ! glapit bonne-maman en se voilant la face.

Elle ajouta d'un ton où perçait une naïve satisfaction :

– Tout de même… si nous n'avions pas la conscience tranquille !

Jango accompagna son invité jusqu'à la gare. La nuit était fraîche et molle. Des grillons chantaient sous les étoiles.

– Il y a longtemps que je n'ai passé une aussi bonne soirée, dit Pinaud. Votre mère cuisine vraiment très bien…

Jango s'excusa pour ce petit repas impromptu. Il assura son visiteur de la joie qu'il éprouvait de le connaître et dit qu'il souhaitait le revoir bientôt.

– Mais j'y songe ! fit l'inspecteur. Puisque vous allez à la galerie demain, je pourrai peut-être m'y trouver… Cette histoire de Braque m'intéresse et j'aimerais assister au dénouement.

Jango se montra enthousiasmé par cette proposition. Il sentait qu'avec le précieux concours de Pinaud il allait pouvoir apprendre l'A.B.C.

de la peinture. Le policier était un professeur incomparable et son enseignement était d'autant plus profitable que, ne peignant pas soi-même, il laisserait à son élève son intégrale personnalité.

Ils se séparèrent après de vives congratulations. Ils étaient enchantés l'un de l'autre…

Comme le train s'ébranlait, Pinaud se rua à la portière en gesticulant; il venait seulement de se rappeler le motif de sa visite à Jango. Tout à la joie de la création, il avait complètement oublié son enquête.

Jango entendit vaguement les mots : témoignage… deux femmes… juge d'instruction… Mais déjà le convoi plongeait dans la fumée rougeoyante de la locomotive…

Lorsqu'il revint à la maison, il trouva bonne-maman et Zizi très excités.

– C'est incompréhensible! disait bonne-maman. Le lapin vient de guérir tout de go. Ce matin, il allait tellement mal que j'avais presque envie de le faire tuer par le voisin; il grelottait de fièvre et restait couché sur le côté. Maintenant, regarde-le : il trotte comme… comme un… lapin!

En effet, le lapin blanc ne semblait plus se ressentir de sa cruelle blessure. Il arpentait la table avec entrain en flairant le vide qui l'entourait. Son nez rose avait recouvré sa mobilité et son œil rouge sa lubricité. Zizi alla lui déterrer une carotte. Il la mangea sans se faire prier, en faisant claquer son bref menton.

– Tu y comprends quelque chose ? demanda bonne-maman.

Jango sourit.

– C'est le colonel, M'man.

– Le colonel ?

– Mais oui… Il est heureux du grand cordon, il m'a pardonné le coup de la rosette ; alors nos ennuis finissent…

La vieille femme médita un instant.

– C'était un brave homme, dit-elle, et même mort, il a su rester bon. Tu vois, pour une gentillesse que tu lui fais, le voilà qui se met en quatre…

Avant d'aller au lit, ils montèrent dire un petit bonsoir au vieil officier. Bonne-maman exigea de Zizi qu'il le citât dans sa prière.

– Tu devrais essayer de le remercier pour le lapin, conseilla-t-elle à son fils. Tu sais, les vieux, et surtout les morts, un rien leur fait plaisir.

– Je ne peux pourtant pas lui acheter des dattes, dit Jango.

– Bien sûr, il faut réfléchir…

– Si tu lui faisais jouer le phono ? proposa Zizi qui raffolait de ce genre de distraction et espérait, dans le cas où son père accepterait, avoir sa part de l'aubaine.

– Le petit n'est pas bête, plaida bonne-maman. Un air militaire… fatalement, ça doit être agréable à un colonel. La preuve, c'est qu'on joue toujours de la musique à leur enter-rement. Lui n'en a pas eu, penses-y !

Sans mot dire, Jango descendit le phonogra-phe à pavillon du grenier. Il fit jouer successi-vement *Sambre et Meuse*, *La Madelon*, *Le Père La Victoire* et, sur les instances de Zizi, un sketch de Bach et Lavergne.

CHAPITRE XII

— Je vous écoute, dit le juge Pompard.

Sainte-Thérèse avança de quelques centimètres ses maigres fesses sur le bord de sa chaise. Le juge regarda cette reptation avec intérêt; il se demanda quelle attitude adopter pour le cas où la vieille servante viendrait à choir.

— Je vous écoute, répéta-t-il sans marquer d'impatience.

— Eh bien, voilà, commença Sainte-Thérèse, c'est pour le pauvre défunt de la morgue... Je crois bien, mon juge, que je me suis trompée et qu'il ne s'agit pas de lui...

Pompard, qui connaissait les dessous de l'histoire, maîtrisa un mouvement d'allégresse.

— Inscrivez! ordonna-t-il à son greffier à tête de masturbé encéphalique.

— Bien sûr, il ressemble à mon pauvre maître, il lui ressemble comme un jumeau, mais ça n'est pas lui.

— Voyons, fit le juge par esprit de conscience; vous ne revenez pas sur votre premier témoignage pour innocenter le neveu de monsieur le colonel Borrel?

– Oh, pas du tout! fit vivement Sainte-Thérèse. Il peut bien moisir en prison, le gredin, doux Jésus!

– Alors, quelle est la cause de vos nouvelles déclarations?

La servante avança encore sur son siège: maintenant, elle n'avait plus de contact avec lui que par l'épine dorsale de son corset.

– Un détail, balbutia-t-elle, un petit détail m'a prouvé que ça ne pouvait être lui. Mon maître était officier de la Légion d'honneur; il attachait un grand prix à sa rosette et la portait sur tous ses vêtements, y compris sur sa robe de chambre, son imperméable et son pyjama. Il ne serait jamais sorti sans elle...

– Alors?

– Alors, je me suis souvenue que le mort de la morgue n'était pas décoré. Je suis retourné vérifier. Je ne me trompais pas...

Le juge trouvait l'argument bien fragile.

– Peut-être cette rosette a-t-elle disparu pendant le transfert du corps? objecta Pompard.

– Non, dit Sainte-Thérèse, car lorsqu'on enlève la décoration, elle laisse au revers du vêtement une petite tache ronde comme de la moisissure. Et puis, je vous avouerais, ajouta la vieille fille, que j'ai regardé le corps (elle se signa) de plus près. Ça n'est vraiment pas Monsieur...

Pompard était enchanté par la tournure que prenaient les événements. Il avait passé une nuit blanche, non que le remords le torturât, mais parce qu'il redoutait que Maurice fît des révélations au sujet de Jango, ce qui, invariablement, aurait provoqué une catastrophe. Déjà, il avait été dans l'obligation de mettre la police au courant de l'histoire du pavillon à louer. L'inspecteur Pinaud enquêtait de ce côté-là et il redoutait que l'intelligent policier découvrît le pot aux roses chez Jango. Mais l'espoir renaissait dans son cœur.

— Ma foi, fit-il, si vous êtes aussi affirmative... Il y a longtemps que vous êtes en service chez le colonel?

— Vingt ans!

— Vous faisiez la cuisine?

— Oui...

— Vous réussissez bien le bœuf braisé? demanda-t-il d'un ton gourmand.

— Mais... oui! dit Sainte-Thérèse.

La surprise manifestée par la vieille bonne ramena Pompard à la réalité.

— N'inscrivez pas ceci, dit-il au greffier.

Le masturbé encéphalique fit à son chef un signe rassurant.

A ce moment, il se produisit un choc mou.

Les deux hommes se précipitèrent pour relever Sainte-Thérèse qui venait de glisser de son siège.

*

Maurice respira voluptueusement l'air capiteux de la liberté. Il huma le vent de Paris, puissant et doré comme un athlète, et, à pas lents, se dirigea vers Montparnasse.

Les paroles d'adieu du juge tournaient dans son crâne.

– Monsieur, lui avait dit le magistrat après qu'il eut ordonné à son greffier de sortir, nous avons la preuve qu'en effet le décédé de la morgue n'est pas votre oncle. En conséquence, nous vous relâchons. Il n'empêche, et je vous le dis en tête à tête, que je suis persuadé de la mort de M. le colonel Borrel. J'ai aussi la conviction que vous avez joué un très vilain rôle dans cette disparition. Je vais donc vous faire une confidence et vous donner un paternel conseil…

«Nous avons, pour les besoins de l'enquête, fait ouvrir le testament de votre parent ; je puis vous apprendre qu'il vous a déshérité au profit d'une de ses maîtresses, une certaine Albertine

Catin, dite Barbara ; vous n'avez donc aucun bien matériel à attendre de ce côté-là.

«Partant de cette certitude, je m'autorise à vous dire, jeune homme : Halte-là ! Fuyez cette ville de perdition, que vous ayez ou non l'âme en paix.»

Le juge s'était interrompu... pour respirer, croyait Maurice ; en réalité, il cherchait des arguments destinés à convaincre le garçon de la nécessité de partir. Pompard estimait que la présence à Paris de ce débauché était dangereuse pour Jango et... de ce fait, pour lui.

– N'hésitez pas une seconde, avait-il insisté. Le salut, pour vous, est à ce prix. Vous venez de tâter de la prison, je suppose que cette expérience aura été salutaire. Pesez bien mes paroles et surtout faites-en votre profit. Monsieur, j'ai bien l'honneur de vous saluer, en espérant qu'il s'agit d'un adieu.

Mot pour mot, Maurice se répétait ce discours ; il le savait par cœur en arrivant chez Barbara.

– Mais c'est Maurice ! cria joyeusement la jeune femme. Entre vite, Jango est justement ici, tu vas nous donner tous les détails.

Maurice pénétra dans le studio et serra la main que Jango lui tendait. Il fit une caresse à Flick et s'assit sur le canapé avec accablement.

– Tu as l'air las, dit Barbara.

– Mais c'est que je le suis…

Il raconta les phases de son court internement. Ses interlocuteurs recueillaient ses confidences à grand renfort d'onomatopées. Barbara, bonne fille, essuya son émotion avec le mouchoir de Jango. Puis elle alla chercher un reste de Cointreau, car il convenait de fêter dignement la libération du jeune homme vénéneux.

– Je vais t'en apprendre une bonne, fit Maurice en concluant : Sais-tu qui hérite de la fortune de mon oncle ?

– Non.

– Toi !

– Moi ?

– Oui.

Jango se hâta de se mettre à l'unisson en produisant une exclamation de valeur.

– Oh ! Oh ! fit-il.

*

Barbara s'était assise aux côtés de Maurice. Ses bras pendaient comme des ailes brisées.

– Il était maboul, ton oncle, ou quoi ?

– En tout cas, remarqua tristement Maurice, il t'avait à la bonne et ne m'aimait pas beaucoup. Il eut un rire amer : Tu te rends compte d'une ironie... Je le fais zigouiller par ton copain moyennant cinquante billets, et c'est toi qui vas palper le gâteau...

– J'en suis encore tout étourdie, murmura Barbara en sanglotant.

– Ah non ! cria Maurice, on ne joue pas *Manon*... Une courte colère enflamma son visage : Ce nom de Dieu de vieux phoque m'aura enchosé jusqu'au-delà de la tombe !

– Taisez-vous ! ordonna Jango. Respectez la mémoire du cher homme, si vous ne voulez pas qu'il vous arrive malheur !

Le neveu en eut le sifflet coupé.

– Non, mais, tu l'entends ? dit-il à Barbara. Le voilà qui se pose en défenseur de la morale, maintenant, ton bourreau de poche !

Fébrilement, Jango défit un grand paquet posé sur une chaise. Il mit au jour une toile représentant des abricots.

– Respect à cette image ! intima-t-il.

Maurice regarda attentivement les abricots sans comprendre.

– Je vous demande pardon, dit Jango en découvrant son erreur.

Il retourna la toile.

Le jeune homme vit alors le moite regard de

son oncle brusquement posé sur lui. Il sursauta et pâlit.

– C'est lui qui a peint ça, avertit Barbara ; tu te rends compte d'une patte qu'il a ! Y a pas à dire... C'est un monsieur...

Maurice ne pouvait détacher ses yeux de ceux du tableau. L'air bon et sentimental du colonel creusait en lui le terrier du repentir. Sous ce regard, son cynisme fondait. Tous les germes des vertus qu'il portait en lui se développaient comme des bourgeons dans un film documentaire, crevaient son venin et éclosaient, et s'épanouissaient, et devenaient luxuriants...

Il mit sa tête contre l'épaule de Barbara, pareil à un enfant têtu qui ne peut contenir davantage sa peine, et il éclata en sanglots.

– Allons, allons ! balbutia la jeune femme. Faut pas pleurer comme ça, mon petit Maumau...

– Laisse couler les larmes du repentir, conseilla Jango. Ce jeune homme m'a l'air d'avoir trouvé la route de la réhabilitation.

– Oui ! fit Maurice avec feu en redressant son visage inondé. Je suis un salaud ! Mon oncle ! Oh ! Mon bon oncle... Pardon !

Il se mit à genoux (hiboux, joujoux, cailloux..., pensa Jango devant la toile). Il contemplait, désespéré, l'image de la bonté, du courage, de l'honnêteté…

Il s'accusa, en se frappant la poitrine, des forfaits qu'il avait commis et de ceux qu'il avait pensé commettre.

— Mon oncle ! s'écria-t-il en étendant le bras et en frappant le parquet du talon, ainsi que procède M. Jean Chevrier [2] pour exprimer la détermination ; mon oncle bien-aimé, je fais le serment de suivre votre exemple ! Désormais, ma vie sera à l'image de la vôtre. De ce pas je vais m'engager dans l'armée…

— Allons, dit Barbara à Jango, cache cette toile ! Tu ne vois pas qu'il se met à déconner…
Jango obéit.

— Tu as tort de parler comme ça, objecta-t-il doucement. Le remords est une bonne chose…

— Ah ! Vous me comprenez, fit Maurice. Quel être curieux vous faites… N'ai-je pas raison de vouloir m'engager ?

— C'est une riche idée, admit Jango. Quelle arme allez-vous choisir ?

— Les méharistes, les tirailleurs, l'infanterie de marine… N'importe laquelle, pourvu

_____

[2] Alors sociétaire de la Comédie-Française. (N.d.E.)

215

qu'elle m'emporte loin d'ici, sur la route de la gloire, de l'honneur et des vertus françaises…

– Crois-tu que l'aspirine lui ferait du bien? interrogea Barbara.

Jango haussa les épaules.

– Cette réaction est normale…

Une dernière fois, le neveu s'agenouilla devant son oncle, après quoi il fit le salut militaire et sortit en sifflant *La Marseillaise*.

– Il ne t'inquiète pas?

– Non, dit Jango. Au contraire, je crois qu'il est hors de danger.

– Un gars qui parle de l'Afrique, de l'Indochine, de l'armée et de l'honneur, tu trouves qu'il est hors de danger, toi? Eh ben, mon colon… Oh pardon! fit-elle en regardant le colonel.

Jango consulta sa montre.

– Si tu veux bien, nous y allons…

– Où ça?

– A la galerie, parbleu, pour cette histoire de Braque. J'y ai un rendez-vous avec plusieurs personnes…

– Dans ces conditions… Le temps de mettre un bibi et je suis à toi… Si j'ose dire, ajouta-t-elle en souriant…

Elle devint grave; chez elle, la gravité était une sorte de souffrance.

216

– Ça ne va pas ? demanda Jango.

– Sais-tu l'idée qui me vient ?

– Je t'écoute…

– Puisque je vais hériter du vieux… Excuse-moi : du colonel…

– Oui ?

– Je ne vais plus avoir besoin de travailler…

– Tu as de la chance…

– Sans travail, je vais m'embêter, la chose est courue. Tu sais, on se fatigue vite à ne rien faire…

– Je n'en doute pas.

– On pourrait se marier, murmura-t-elle timidement. Tu sais, Jango, tu es le plus chic type que je connaisse, et je t'aime gros comme…

Jango la prit par les épaules. Il l'attira contre son cœur et se mit à lui mordiller les cheveux.

– Tu es gentille, ma petite Barba…

Il renifla son émotion :

– Mais je ne peux pas accepter, je ne suis pas seul, tu le sais…

– Évidemment que je le sais ! On habiterait tous ensemble, ce serait au petit poil ; et l'hiver, on demeurerait chez le colonel. Il a un appartement immense… Tu peindrais…

– Ce ne serait pas commode pour mon travail, objecta Jango qui faiblissait rapidement.

– Justement, tu te reposerais.

217

– On ne peut pas, dans mon métier... La clientèle commande ! Souvent, le type qui veut faire décéder sa femme ou sa belle-mère se décide tout d'un coup...

Barbara se dégagea, elle mit ses yeux pleins de volonté dans ceux de son ami.

– Et pourquoi que tu laisserais pas tomber ce métier-là ? Maintenant que tu es un grand peintre, tu feras d'autres tableaux et tu les vendras très cher, comme Picasso...

– Nous discuterons de cela plus tard, dit Jango.

*

Quand ils pénétrèrent dans la galerie, Pichaud se précipita sur eux.

– Je craignais que vous ne vinssiez pas ! soupira-t-il.

Un gros homme suiffeux et verdâtre sortit de l'ombre et s'avança vers Jango.

– Brumeinstopfieldicovtchi, dit-il.

Après quoi, il respira.

Jango porta l'index à ses oreilles et, par une mimique appropriée, indiqua à son interlocuteur qu'il n'entendait que le français. Le gros homme sourit tendrement.

– Je suis M. Brumeins...

– Excusez-moi, s'empressa Jango.

Pichaud prit la toile et la déplia fiévreusement. Il présenta les abricots à l'expert.

– Qu'en dites-vous, Brubru? C'est une petite chose inouïe, hein?

Le visage lombaire de l'expert s'allongea comme s'il se fût trouvé devant une glace déformante.

– C'est de la m...! affirma-t-il sans l'ombre d'une hésitation.

– Ça n'est pas un Braque, ça? trépigna Pichaud.

– Ça n'est même pas de sa concierge, dit Brumeins... (et la suite). Je m'étonne, mon cher, que vous vous soyez laissé abuser par cette pâle inspiration.

Pichaud paraissait tout contrit. Il déposa la toile sur un chevalet, mais, par mégarde, il la présenta côté colonel.

L'expert poussa un cri qui fit s'arrêter les passants.

– Formidable! dit-il.

Pichaud regarda et, du coup, oublia les faux abricots.

– Mais, dit-il à Jango, vous l'avez retouché!

– Un peu, avoua le grand peintre.

– Cette chose est de vous? rugit Brum... (etc.). Pichaud! Ce garçon a peint le tableau le plus exceptionnel de ces dix dernières années ! Et vous venez m'emmerder avec un caca de copiste !

Il s'approcha de la peinture, à la manger, sortit une loupe de sa poche et examina chaque millimètre du chef-d'œuvre.

– Monsieur, dit-il avec emphase, je vous salue !

– Il te salue, chuchota Barbara, troublée.

Pichaud regardait la toile de tous les points de la pièce.

– C'est beau, criait-il. C'est étrangement beau. C'est sauvagement beau. C'est puissamment beau. C'est grand. C'est vaste. Ça a de la gueule. De l'énergie. C'est une forteresse. Ça casse tout. Ça écrase. Ça vous prend là… Là et là. Ça pulvérise. Ça parle. Ça dit tout. Ça…

Il éternua et le reste de son enthousiasme partit dans son mouchoir.

Sur ces entrefaites, l'inspecteur Pinaud entra.

– J'ai eu de la peine pour arriver jusqu'à vous, dit-il. Mon vieux, votre toile fait fureur ; regardez-moi ce populo qui se presse devant la vitrine pour essayer de contempler votre chef-d'œuvre !

Jango et Barbara se retournèrent. Comme l'annonçait le policier, un groupe important s'écrasait contre la vitre de la galerie avec des figures ravagées par l'admiration.

– Alors, ce Braque ? s'enquit Pinaud.

– Il est faux, vous aviez raison…

Pinaud regarda le colonel jusqu'à l'ivresse, puis s'en détourna comme on se détourne d'une trop forte lumière.

– A propos, fit-il, hier j'ai complètement oublié de vous parler de l'objet de ma visite… Figurez-vous que je voulais vous entendre au sujet de la disparition de deux femmes dont on supposait qu'elles vous avaient rendu visite…

La joie de Jango s'évapora et il sentit la main de Barbara se crisper sur son bras.

– Mais, reprit Pinaud, j'ai bien fait de ne pas vous tracasser avec cette histoire ; mon enquête, que j'ai poursuivie aujourd'hui, m'a révélé que ces deux femmes étaient lesbiennes. Un employé de la gare du Nord croit les avoir aperçues dans le train de Bruxelles. Sans doute ont-elles fichu le camp ensemble. Je suis embêté d'apprendre ça au juge Pompard : ça la fiche mal de savoir qu'on est cocufié… Surtout par une femme !

– Baste, dit Barbara en exhalant un soupir de soulagement. Que ce soit par une femme ou par un homme, ça ne fait jamais plaisir…

Jango ne put proférer une parole. A nouveau

la reconnaissance – car il s'agissait là d'un nouveau miracle du colonel – lui ôtait toute possibilité de se manifester...

Ses yeux cherchèrent ceux du vieillard et les trouvèrent. Une affectueuse complicité se lisait dans ceux de l'officier. Le colonel Borrel, au faîte de sa gloire, donnait à celui qui l'avait immortalisé l'éloquente et solennelle assurance de sa protection posthume. Impeccable derrière son grand cordon, il subissait avec une tranquillité heureuse les regards des hommes, la loupe des experts, les adverbes des critiques...

*

Brumeinstopfieldicovtchi, le grand expert français, celui qui construisait des vedettes, démolissait des règles, édifiait des gloires, en un mot faisait la pluie et le beau temps dans le monde du pinceau, s'approcha de Jango et lui prit le bras.

– Mon petit, chuchota-t-il, votre fortune est assurée. Laissez-moi faire : dans huit jours, le monde entier vous connaîtra. Nous allons signer un petit contrat tous les deux... Je me contenterai de trente-trois pour cent. Vous n'aurez qu'à peindre... Je ne vous en demande

222

pas davantage. Je m'occuperai de tout : exposi-tions, placements, publicité…

– Vous êtes bien aimable, remercia Jango.

– Vous ne connaissez pas la gloire ? Eh bien, je vais vous en fiche, moi !

Une lueur affectueuse palpitait dans son regard faisandé.

– Les honneurs, l'argent ! Ah, mon gaillard…

Il se fit plus confidentiel :

– On va commencer tout de suite, décida-t-il. Justement, ce soir, je dîne avec le ministre de l'Éducation nationale… Je lui parlerai de vous, uniquement de vous… Entre nous, mon vieux, la Légion d'honneur, ça vous ferait plaisir ?

Les Mureaux, 1950-1951.

CATALOGUE DES
ÉDITIONS DE LA LOUPE

350 titres sur www.editionsdelaloupe.com

Livres édités en mars 2011

Roman	Des éclairs	Jean Echenoz
Roman	Grandir	Sophie Fontanel
Roman	Fais de beaux rêves	Pierre Lagier
Roman	Fugue	Anne Delaflotte Mehdevi
Roman	Le Diamant Bleu	François Farges et Thierry Piantanida
Roman	L'Album de Menzel	Béatrice Wilmos
Récit	Rappelle-moi	Michel Drucker
Aventure	Le tour du monde en 80 jours et à vélo	Guillaume Prébois
Récit	Le prix à payer	Joseph Fadelle
Santé	Les recettes Dukan	Dr Pierre Dukan
Essai	Le philosophe nu	Alexandre Jollien
Histoire	Grands zhéros de l'Histoire de France	C. Portier-Kaltenbach
Policier	Le tueur en pantoufles	Frédéric Dard
Thriller	Mortelle collection	Didier Sénécal
Thriller	L'épouvantail	Michael Connelly

Livres édités en 2010

Roman	Le vieil homme qui m'a appris la vie	Mitch Albom
Roman	Les invités	Pierre Assouline
Roman	Le temps des miracles	Anne-Laure Bondoux
Roman	Rendez-vous à Calcutta	Barbara Cartland
Roman	Les neuf consciences du Malfini	Patrick Chamoiseau
Roman	La vengeance du wombat	Kenneth Cook

Histoire	Le Roman de l'âme slave	*Vladimir Fédorovski*
Policier	Passage du vent	*Harry Bellet*
Policier	Le verdict du plomb (2 Tomes)	*Michael Connelly*
Détective	La grande friture	*Frédéric Dard*
Détective	La promesse de Noël	*Anne Perry*
Détective	Les ailes du corbeau	*Ellis Peters*

Livres édités en 2009 (extrait)

Roman	La diablesse	*Johan Bourret*
Roman	Les Sentinelles des blés	*Chi Li*
Roman	La Nuit du renard	*Mary Higgins Clark*
Roman	Courir	*Jean Echenoz*
Roman	Le Jumeau de l'Empereur	*Jacques Forgeas*
Roman	David Golder & Les Mouches d'automne	*Irène Némirovsky*
Roman	La récup'	*Jean-Bernard Pouy*
Roman	La Chrysalide	*Heather Terrell*
Nouvelles	Le koala tueur (Beaucoup d'humour *N.D.E.*)	*Kenneth Cook*
Nouvelles	Une vie à coucher dehors (GONCOURT 2009) ...	*Sylvain Tesson*
Biographie	Séraphine, la vie rêvée de Séraphine de Senlis	*F. Cloarec*
Biographie	Confessions d'une religieuse	*Sœur Emmanuelle*
Biographie	Mes années avec Sissi	*Irma Sztáray*
Témoignage	Moine des cités	*Henry Quinson*
Histoire	Le dernier poilu	*Véronique Fourcade*
Récit	Enfants des sables, une école chez les Touaregs	*Moussa Ag Assarid*
Récit	Moi Nojoud, 10 ans, divorcée	*Nojoud Ali*
Récit	Les sandales blanches	*Malika Bellaribi*
Récit	Quand les grands étaient petits	*William Leymergie*
Récit	Ocean's Songs	*Olivier de Kersauson*

350 titres sur www.editionsdelaloupe.com

In couple dans la tempête . . . . *Claude Désiré, Marcel Jullian*

ıdira Gandhi / Petite vie de Mère Teresa . . . .*Guillemette de La Borie*

e suis né à 20 ans . . . .*Gérard Lenorman*

ıu bal de la chance . . . .*Edith Piaf*

ean Marais sans masque . . . .*Nini Pasquali*

a Calas . . . .*Ève Ruggieri*

ʼoco Chanel . . . .*Elisabeth Weissman*

Détectives et policiers (Fonds disponible)

es dossiers d'Interpol . . . .*Pierre Bellemare & Jacques Antoine*

ʼcho Park (2 tomes) (+ 3 autres titres)) . . . .*Michael Connelly*

ʼrsène Lupin, Gentleman cambrioleur (+ série) . . . .*Maurice Leblanc*

Ima Ramotswee détective (+ série complète) . . .*Alexander McCall Smith*

e secret de Noël (+ 10 autres titres de la série) . . . .*Anne Perry*

rafic de reliques (+ 6 autres titres de la série) . . . .*Ellis Peters*

ʼocaïne et Tralala (+ 4 autres titres de la série) . . . . .*Kerry Greenwood*

Être et penser (Fonds disponible)

ʼivre, à quoi ça sert ? . . . .*Sœur Emmanuelle*

e prophète . . . .*Khalil Gibran*

es hommes viennent de Mars, les femmes viennent de Vénus . . .*John Gray*

e métier d'homme . . . .*Alexandre Jollien*

Ioine des Cités . . . .*Henry Quinson*

ʼoute personne est une histoire sacrée . . . .*Jean Vanier*

Iouveau Testament . . . .*Version officielle liturgique*

350 titres sur www.editionsdelaloupe.com

JOUVE - 1, rue du Docteur Sauvé, 53100 Mayenne - Imprimé sur presse rotative numérique

N° 891319F - Dépôt légal : décembre 2011 - *Imprimé en France*